Arena-Taschenbuch
Band 2500

*Willi Fährmann,*
geboren 1929 in Duisburg, lebte in Xanten am Niederrhein,
wo er 2017 gestorben ist. Mit seinem Gesamtwerk, für das ihm
neben zahlreichen Einzelauszeichnungen der Große Preis der
deutschen Akademie für Kinder- und Jugendliteratur und der
Deutsche Jugendliteraturpreis verliehen wurden, gehörte er zu den
profiliertesten Autoren der deutschen Kinder- und Jugendliteratur.
Seine im Arena Verlag erschienenen Bücher haben längst eine
Auflagenhöhe von drei Millionen überschritten.

Willi Fährmann

# Es geschah im Nachbarhaus

Die Geschichte eines gefährlichen Verdachts
und einer Freundschaft

Auf der Auswahlliste zum
Deutschen Jugendbuchpreis

Auf der Ehrenliste des
Hans-Christian-Andersen-Preises

· 50. Auflage als Arena-Taschenbuch 2018
© 1968 Arena Verlag GmbH, Würzburg
Alle Rechte vorbehalten
Umschlagillustration: Henriette Sauvant
Umschlagtypografie: Agentur Bachmann & Seidel
Gesamtherstellung: Westermann Druck Zwickau GmbH
ISSN 0518-4002
ISBN 978-3-401-02500-1
***
www.arena-verlag.de
Mitreden under forum.arena-verlag.de

## 1

*D*er Junge saß auf der Treppenstufe. Einen Augenblick spielten seine Finger noch mit den kleinen Steinchen. Plötzlich schlossen sich die Hände zu Fäusten. Er hob den Kopf.

»Jean?«, flüsterte er. Doch das Mädchen lief bereits weiter. Die Nachbarinnen standen an diesem Peter-und-Pauls-Tag an der Pumpe beisammen. Hermines Nachricht zerriss ihr Lachen und Schwatzen. Die geschmückte Pumpe, eben noch Mittelpunkt fröhlicher Ausgelassenheit, ragte fremd und unpassend über die Köpfe der verstörten Frauen hinweg. Bunte Bänder flatterten im Wind, doch keine Hand haschte mehr danach.

Sigi warf die Steinchen auf das Pflaster, sprang auf, stürzte an den Frauen vorbei, rannte zum »Goldenen Apfel« und schlüpfte in den schmalen Flur, der längs durch das ganze Haus führte. Stimmen drangen aus der Gaststube. In das Hinterhaus gelangte er über den Hof. Dort kegelte Vater mit den Nachbarn.

Sigi riss die Tür auf. Stimmengewirr und Tabaksqualm schlugen ihm ins Gesicht. Seine Augen gewöhnten sich an das trübe Licht. Niemand beachtete ihn. Vater saß am breiten Ende des Tisches. Er redete auf Franz Nigge ein. Aus den Gesten und Satzfetzen verstand Sigi, dass er erklärte, mit welch geschickter Drehung der Kugel er den rechten Bauern aus allen neun herausgeschossen hatte.

Sigi drängte sich durch den schmalen Raum zu ihm hin.

»Was willst du?«, fragte der Vater verstimmt. Er liebte es nicht, dass Sigi sich zu den Männern gesellte.

Der Junge beugte sich zu ihm und sprach leise auf ihn ein.

»Was gibt es?« Als der Junge immer noch flüsterte, sagte er laut: »Sigi, du weißt, dass ich nicht gut hören kann. Sprich laut und deutlich.« Der Ärger stand ihm im Gesicht. Sigi schluckte und stieß dann hervor: »Jean Seller ist tot. Erstochen worden ist er. Er liegt in Schyffers' Scheune.«

»Tot?«

In die plötzliche Stille hinein donnerte die Kugel gegen die Hölzer. »Kranz!«, schrie der Kegeljunge. Niemand blickte auf die rollenden Hölzer, keiner achtete auf diesen gelungenen Wurf von Huymann. Die Männer starrten den Jungen an. Schließlich wischte sich Bernd Hegenstock den Bierschaum aus dem Schnurrbart und sagte: »Woher weißt du das, Sigi?«

Breuermann fügte hinzu: »Aber kein Gerede, hörst du?«

»Schyffers' Hermine hat es gerade gesagt. Nora hat den Jean in der Scheune gefunden. Sie wollte das Futter für das Vieh holen. Jean liegt auf der Spreu.«

»Erstochen?«

»Das hat Hermine erzählt.«

Plötzlich kam Bewegung in die Schar. Die Männer drängten weg von der Kegelbahn, eilten den nahen Häusern zu und atmeten auf. Bei ihnen zu Haus saßen alle um den Tisch. Keiner fehlte.

Sigi und sein Vater gingen durch den Laden in die Stube. Frau Waldhoff, die den Tag über mit Kopfschmerzen im Bett gelegen hatte, war aufgestanden und reinigte und beschnitt den Docht der Petroleumlampe.

»Hast du es schon gehört, Hannah?«

»Was gibt es? Warum kommst du jetzt schon vom Kegeln zurück?«

»Der kleine Jean . . .«

»Was ist mit ihm? Haben sie ihn gefunden?«

»Ja. Aber er lebt nicht mehr.«

Frau Waldhoffs Händen entglitt die Schere. »Tot?«

»Ja. Er liegt in der Scheune. Sie sagen, er sei erstochen worden.«

»Der arme Junge.«

Eine Weile schwiegen sie. Dann fragte Frau Waldhoff: »Mehr weiß man nicht?«

»Ich glaube nicht.«

»Komm, wir wollen einmal nachfragen.«

Sie traten vor das Haus. Gerade bog Franz Nigge in den Pfortenweg ein, der zu Schyffers' Scheune führte.

»Da soll er liegen, Waldhoff«, sagte er. »Komm, wir sehen uns die Sache an.«

Waldhoff wollte Franz Nigge in den Pfortenweg folgen, doch seine Frau hielt ihn zurück. Waldhoff zögerte, blieb stehen und sagte: »Geh du nur. Das ist nichts für mich.«

Aus dem gegenüberliegenden Haus kamen Dreigens.

»Sie haben ihm die Kehle durchgeschnitten«, berichtete Frau Dreigens. Sigi bemerkte die roten Flecken in ihrem Gesicht, die sich immer zeigten, wenn sie sich aufregte.

Eine plötzliche Schwäche überfiel Frau Waldhoff. Sie musste sich gegen die Hauswand lehnen. »Den Hals?«, stammelte sie.

»Was ist mit dir?« Waldhoff befürchtete, dass der Kopfschmerz sie wieder überfiel. »Du hättest heute im Bett bleiben sollen.«

Frau Waldhoff flüsterte: »Hoffentlich hängen sie uns das nicht an.«

Da wusste Waldhoff, was sie meinte. Es traf ihn wie ein Keulenschlag. Mit einem Male fiel ihm die Geschichte seines Schwiegervaters ein, der des Kindesmordes bezichtigt worden war. Obwohl er zur Zeit der Tat gar nicht am Ort gewesen war, lief ihm das Gerede nach bis in sein Grab.

»Ach, vielleicht ist Jean in das Häckselmesser gefallen.«

»Er hat oft geschaukelt.«

»Vielleicht ist er abgerutscht.«

So tauschten sie diese und jene Vermutung mit den Dreigens. Da kam Franz Nigge durch den Pfortenweg zurück. »Der Doktor ist da. Sie haben uns alle weggeschickt. Aber es stimmt. Der Junge ist ermordet worden, so wahr ich Nigge heiße, er ist ermordet worden.«

»Kann er nicht in das Häckselmesser gefallen sein?«, fragte Waldhoff.

»Unsinn. Das Messer stand in der Ecke. Und stumpf ist es auch. Man kann drauf nach Köln reiten.«

Franz Nigge grüßte kurz und ging weiter.

»Wir müssten eigentlich zu Sellers«, sagte Frau Waldhoff. »Ich weiß ja, was es heißt, Kinder zu verlieren.«

Waldhoff tastete nach ihrer Hand. Drei Kinder waren ihnen im Grippewinter vor sieben Jahren gestorben. Seine Frau war niemals darüber hinweggekommen.

»Ja, Hannah, lass uns das tun.«

7

»Aber wo steckt Ruth?«

»Sie ist noch ein wenig zu Gerd gegangen. Lass sie nur. Um acht ist sie wieder zurück.«

Sie bogen um die Ecke. Lärm schallte aus Schyffers' Gaststube. Die Wirtschaft war voller Neugieriger. Huymann stand vor der Tür und winkte Waldhoffs zu. »Kommt doch auch herüber!«, rief er. Doch Waldhoff deutete mit dem Daumen auf Sellers Haus. Sie traten ein. Im Flur war es dämmerig und kühl. Frau Waldhoff kannte den Weg und fand ohne Mühe die Tür zur Küche. Sie klopfte. Frau Seller hockte auf der Bank hinter dem Tisch. Als sie Waldhoffs erkannte, beugte sie ihren Kopf in die Arme und schluchzte. Gerd Seller saß beim Ofen und rührte sich kaum. Drei kleinere Kinder spielten in der Ecke am Fenster. Frau Waldhoff setzte sich zu der Nachbarin und strich ihr über den Rücken, sanft tröstend. Wieder öffnete sich die Tür und die Schwester der Frau Seller betrat die Stube. Die beiden Frauen umarmten sich. Etwas ruhiger begann Frau Seller zu erzählen, stockend und oft vom Weinen unterbrochen. »Mein Magen, mein Magen«, hörte Waldhoff sie stöhnen. Da gab er Sigi einen Groschen und schickte ihn zu Schyffers Natron holen. Er wusste, dass Natron der Frau ein wenig helfen konnte.

»Die Polizei und der Bürgermeister sind bei Schyffers«, tuschelte Sigi seiner Mutter zu, als er seinen Auftrag erledigt hatte. Waldhoff löste ein Löffelchen Natron in Wasser auf und reichte Frau Seller das Glas über den Tisch hin. Eine Weile blieben Waldhoffs noch, doch bald spürten sie, wie wenig nachbarlicher Trost vermag, und verabschiedeten sich. Sie blieben vor ihrer Haustür stehen, denn die Hitze des Tages hing noch in den Häusern. Dieser und jener kam die Mühlenstraße entlang und blieb ein wenig. Immer wieder wurde das traurige Ereignis besprochen. Vermutungen wurden laut, dass die Kinder vielleicht »Öchschenschlachten« gespielt hätten. Frau Waldhoff berichtete, wie Sigi vor Jahren mit einem großen Schlachtmesser ihres Mannes herumgefuchtelt habe. Ihr sei damals ganz anders geworden. Im Laufe des Abends wurden die Einzelheiten des Todes bekannt und die sonderbarste war, dass bei der Leiche kaum Blut zu sehen gewesen sei. Erst als es dunkel wurde, ging einer nach dem anderen in sein Haus.

Waldhoff fand lange keinen Schlaf. Mitternacht war längst vorüber, als er schließlich merkte, dass auch seine Frau kein Auge zugetan hatte. »Hannah?«

»Ja.«

»Wie war das damals mit deinem Vater?«

»Nun, ein Kind wurde getötet. Wir kannten es nicht einmal. Es wohnte zwar in unserer Gegend, aber in einer großen Stadt, wer kennt da alle Kinder?«

Sie schwieg eine Weile und legte den Kopf ein wenig höher, damit ihr das Atmen leichter wurde. »Sie fanden keinen Täter. Du weißt, wie schlimm das für uns ist. Schließlich bleibt es am Zigeuner oder am Jud hängen. So war es auch damals.«

»Aber dein Vater konnte doch nachweisen, dass er am Mordtag gar nicht in der Stadt gewesen ist.«

»Natürlich konnte er das nachweisen. Aber die Menschen wollen keinen Nachweis, sie wollen einen Täter. Und zwar einen, der irgendwie anders ist als sie, der sich ein wenig von ihrer Gemeinschaft abhebt. Sei es auch nur, weil er ihren Glauben nicht teilt. Die Blicke, ängstliches Ausweichen auf dem Bürgersteig, das Ausspucken, die Furcht in den Augen der Kinder, die Bekannten ziehen sich allmählich zurück, die Geschäfte liegen darnieder ...«

Wieder schwieg sie lange und schluckte an den Tränen.

»Das ist schlimmer als Urteil und Gefangenschaft, weißt du. Mein Vater hat es nur wenige Jahre ertragen. Er ist vor dieser Wirklichkeit in den Tod geflohen. Nicht, dass er den Strick genommen hätte oder in den Fluss gegangen wäre, nein, Sorgen, Missachtung, Einsamkeit inmitten der Menschen haben ihm den Atem genommen. Eines Tages konnte er nicht mehr aufstehen. Die Ärzte zuckten die Achseln und gaben ihn schließlich auf, so wie er sich schon lange aufgegeben hatte.«

Hannah richtete sich auf. Er sah ihren Schatten scharf vor dem nachthellen Fenster. »Hoffentlich finden sie den Mann, der Jean umgebracht hat.«

»Irrsinn«, sagte Waldhoff und drehte sich auf die Seite. »Kein Ding geschieht zweimal.« Doch in seinem Herzen zitterte Furcht vor dem neuen Tag.

## 2

*In* der Schule schwirrten die Gerüchte durch die Klassen. Die Kinder scharten sich in den Pausen immer wieder um Hermine Schyffers und Sigi Waldhoff. Das Bekannte war schnell erzählt. Jean war gegen elf zum letzten Mal gesehen worden. Er hatte im Pfortenweg gespielt. Von da an blieb er verschwunden. Zuerst hatte die Mutter geglaubt, er sei bis an die Landstraße gegangen. Dort waren die süßen Kirschen reif. Die Kinder der Stadt betrachteten diese Bäume seit eh und je als ihr Eigentum.

Der Polizist, ein zugewiesener Preuße, mochte anderer Meinung sein, aber ihm gingen sie aus dem Wege. Schließlich hielt er nicht den ganzen Tag Kirschenwache. Es war jedenfalls nichts Neues, dass diese Ernte nie versteigert werden konnte, weil zum festgesetzten Termin Kinder und Stare nur so wenig Kirschen übrig gelassen hatten, dass es sich nicht einmal lohnte, eine Leiter herbeizuschaffen.

Aber bei den Kirschen war Jean nicht. Als die Mutter ihn bei den Nachbarn suchte, da fand er sich weder bei Schyffers noch bei Nigges und nicht bei Huymanns. Auch bei Mehlbaums und Waldhoffs hatte niemand ihn nach elf Uhr gesehen.

Schließlich durchstreiften seine Geschwister die Straßen. Die Vermutung kam auf, er sei wegen der Hitze mit zum Rhein gegangen, doch niemand wusste Genaueres. Auch wollte dieser oder jener zwei Landstreicher in der Mühlenstraße gesehen haben, doch die waren gekommen und gegangen, wie das bei fahrendem Volk eben ist.

Die schreckliche Nachricht von dem Tod des Jungen hatte all diesen Gerüchten ein schnelles Ende bereitet. Aber gleich blähten sich neue auf. Wer war der Täter? Nach mancherlei Erwägungen kamen am ehesten die Landstreicher in Betracht. Die Kinder ließen ihrer Fantasie freien Lauf, zumal Hermine Schyffers wenig berichtete. Ihr Vater und der Lehrer hatten ihr den Mund verboten. Umso begehrter war das, was Sigi wusste, der als einer der ersten die Nachricht vernommen hatte und der in unmittelbarer Nachbarschaft der Fruchtscheune wohnte, in der Nora den kleinen Jean gefunden hatte. Sigi hatte einmal, zweimal berichtet, was ihm zu Ohren gekommen war, doch als die Gier nach seiner Geschichte nicht nachließ, kam er auf den Gedanken, nur noch gegen Bezahlung zu wiederholen, was sich in den Abendstunden des vorangegangenen Festtages ereignet hatte.

So glitt in den Pausen allerlei Kindergut in seine Hände: weißer und brauner Kandiszucker, eine Handvoll Kirschen, frisch an der Landstraße gepflückt, ein beinahe neuer Lederriemen, ein gepresstes vierblättriges Kleeblatt . . .

Diese begehrten Schätze machten Sigis Bericht von Mal zu Mal farbiger. Das blühende Geschäft fand erst seinen unrühmlichen Abschluss, als Lehrer Coudenhoven davon erfuhr und Sigi wegen dummen Geschwätzes mit seiner fingerdicken Haselrute drei Streiche über den Hosenboden zog. Von da an schwieg auch Sigi. Erst auf dem Heimweg, als sich sein Freund Karl zu ihm gesellte, besprach er mit ihm noch einmal die ganze Geschichte, aber einen Täter fanden auch sie nicht.

»Wo bleibst du so lange?«, fuhr ihn die Mutter an, als er in den Laden trat.

»Ich war bei Karl.«

»Warte hier. Der Bürgermeister ist im Hause. Er will mit dir sprechen.«

»Der Bürgermeister?«

»Sag ihm alles, was du weißt. Aber denk nach, bevor du sprichst.«

Im hinteren Zimmer brummten die Stimmen der Männer, doch was gesprochen wurde, war nicht zu verstehen. Endlich wurde Sigi gerufen. Waldhoff hatte einen roten Kopf und eine steile Falte saß zwischen den Augen.

»Es ist ein Skandal«, schimpfte der Bürgermeister. »Am helllichten Tage wird ein Kind umgebracht, und keiner hat etwas bemerkt.« Er wandte sich dem Jungen zu.

»Sigi, wann hast du den kleinen Jean zum letzten Male gesehen?«

»Es war zu der Zeit, als die Leute aus dem Hochamt kamen. Da spielte er auf unser Straße.«

»Hast du mit ihm gespielt?«

»Er ist klein, Herr Bürgermeister. Ich musste auch zu Schloters.«

»Zu Schloters?«

»Ja, ich sollte ihm das restliche Geld bringen.«

Waldhoff schaltete sich ein: »Ich hatte Streit mit Schloters. Er hilft mir in der Werkstatt, die Grabsteine für die Juden zu schlagen.«

»Warum gab es Streit?«

»Ihm war es zu viel, an drei Tagen nichts verdienen zu können. Am Sabbat wird bei mir nicht gearbeitet, am Sonntag will ich es auch nicht. Gestern war Peter und Paul. Drei Ruhetage waren ihm zu lang. Er hat sein Geld verlangt. Sigi hat es ihm gebracht.«

»Warum schickten Sie Ihren Sohn?«

»Sigi hat sich mit Schloters gut vertragen. Der Junge will Steinmetz werden, und Schloters hat ihm manchen Griff gezeigt.«

»Soso, Steinmetz. Aber den Jean, Sigi, den Jean hast du später nicht mehr gesehen?«

»Nein, als ich zurückkam, war gar kein Kind mehr auf der Straße.«

»Woher weißt du das noch so genau?«

»Ich dachte mir: Die sind alle zu den Kirschen gegangen.«

»Am liebsten hättest du sicher auch Kirschen gestohlen?«, fragte der Bürgermeister. Doch dabei spielten ihm die Lachfältchen um die Augen. Sigi antwortete nicht.

Der Bürgermeister blätterte in einer Akte, seufzte, schlug den Deckel plötzlich zu und sagte: »Das andere weiß ich bereits. Ihre Frau und Ihre Tochter Ruth haben es ja berichtet.« Dann trat er näher an Waldhoff heran, der aus seinem Sessel aufgestanden war, und sagte: »Es ist eine scheußliche Sache, Waldhoff. Der Mehlbaum macht mit dummem Gerede die Leute wild. Überlegen Sie genau, wie Sie den gestrigen Tag verbracht haben, und schreiben Sie es auf. Sie wissen ja, wie leicht einer ins schiefe Licht geraten kann.«

Damit griff er nach seinem Hut, grüßte Frau Waldhoff und trat auf die Straße. Verwundert blieben einige Frauen stehen, die gerade vom Markt kamen.

»Was sucht der Bürgermeister beim Juden Waldhoff?«, fragte eine.

Waldhoff schloss ärgerlich die Tür und sagte: »Da geht es schon los. Der Mehlbaum streut aus, dass wir Juden das Blut von Christenkindern brauchen. Sein Sohn, der Medizinstudent, habe es ihm gesagt.«

»Blut? Wozu Blut, Vater?«, fragte Ruth.

»Ach, weiß der Kuckuck. Dummes Geschwätz. Es wird gemunkelt, dass wir Juden das Blut benützen, um daraus Wein zu machen, den wir beim Passah-Fest trinken.«

»Pfui! Eklig!«, rief Ruth und schüttelte sich. »Wie kann Mehlbaum sich so etwas Scheußliches nur ausdenken?«

»Er hat sich das nicht selbst ausgedacht. Eine alte, schaurige Lüge ist es, die er da ausgräbt. Oft und oft ist sie erzählt worden. So sollen Juden am 19. April 1287 in der Gegend von Oberwesel am Rhein ein Kind namens Werner gequält und um seines Blutes willen schließlich zu Tode gebracht haben. Dabei ist dies nur eine von vielen ähnlichen Geschichten.«

»Wenn Mehlbaum das wirklich glaubt, dann kann ich mir erklären, warum er und manche Menschen uns verachten«, sagte Ruth.

Heftig antwortete Sigi: »Ich weiß nicht, was 1287 wirklich geschehen ist. Aber selbst wenn die schrecklichsten Lügen Wahrheit wären, was hat das mit uns zu tun? Hier kennen uns doch alle. Keiner wird uns einen Mord zutrauen.«

»Ich hoffe das auch«, sagte Waldhoff.

Später liefen Sigi und Karl zu den Kirschen.

»Ist er weg?«, flüsterte Karl seinem Freund zu.

»Ja, er geht zur Stadt zurück.« Die Jungen schoben die Zweige des Gebüsches ein wenig zur Seite und blickten dem Polizisten nach, der nach den Kirschbäumen gesehen hatte. Ein Knecht hatte die beiden gewarnt, und sie waren rechtzeitig in die Büsche geschlüpft.

»Warum ist der Neue eigentlich so scharf hinter uns her, wenn wir in die Kirschbäume steigen?«, fragte Karl.

»Mein Vater sagt, er habe nichts Rechtes in unserem Städtchen zu tun. Hier leben eben anständige Leute.«

»Meiner sagt, dass die Kirschen den Kindern gehören, solange er denken kann.«

»Soll er doch die beiden Landstreicher fangen.« Sigi saß bereits wieder im Baum und ließ sich die dicken Früchte gut schmecken.

»Rot wie Blut«, sagte Karl. »Du, sie sagen, ihr Juden brauchtet Kinderblut.«

»Quatsch! Großer Quatsch! Wozu sollten wir es wohl brauchen?«

»Sie erzählen überall, dass ihr es für euren Passah-Wein nötig habt.

Der kleine Jean soll einen Schächterschnitt gehabt haben. Was ist das überhaupt?«

»Wenn Vater schlachtet, dann sticht er das Tier so ab, dass es ganz ausblutet. Wir dürfen kein Blut verwenden. So sagen es unsere Gesetze. Keinen Tropfen Blut, verstehst du! Deshalb haben wir unsere eigene Art, Tiere zu schlachten. Und das nennt man schächten.«

»Metzger, das ist ein scheußlicher Beruf. Das wäre nichts für mich. Polizist ist gut, Sigi, was meinst du? Polizist möchte ich schon werden.«

»Ich nicht. Ich werde Steinmetz.«

»Auch gut. Vater will, dass ich irgendetwas studiere. Aber ich habe keine Lust, dauernd zu büffeln. Polizist, das ist schon besser. Mutter sagt auch, Beamter ist Beamter.« Sie pflückten und aßen.

»Hörst du nichts, Karl?«

»Was soll ich hören?«

»Ich glaube, es gibt ein Gewitter. Es brummelt schon in der Luft.«

»Das wird ein Wagen gewesen sein.«

»Nein, hör nur, da donnert es wieder.«

Karl kletterte ein wenig höher in die Baumkrone. Von dort oben aus konnte er weit in die Ebene sehen. Ein Kranz von sanften Hügeln schließt die Stadt von drei Seiten her ein. Dicht drängen sich die Häuser in einer Mulde, die sich zum Strom hin weit öffnet.

»Der Himmel ist hinter den Bäumen ganz schwarz, Sigi.«

Doch Sigi kümmerte sich nicht um das Gewitter und pflückte weiter. Die Steine spuckte er im Bogen in die Tiefe.

»Wir müssen nach Hause, Sigi.«

»Ja. Doch warte, ich will mir ein paar Kirschen mitnehmen.« Schnell zupfte Sigi reife Früchte und sammelte sie in ein Taschentuch.

Da zuckte ein Blitz auf, fern noch, aber Sigi fuhr zusammen.

»Los, Karl, wir rennen nach Hause.«

Wind rüttelte die Wipfel. Sie rauschten auf. Über der Straße wirbelte eine Staubwolke hoch. Eilig kletterten sie aus dem Baum und machten sich auf den Weg.

Doch die Wolken flogen schnell. Die Jungen waren noch inmitten der Kornfelder, weit vor der Stadt, als die ersten Tropfen schwer herniederschlugen.

»Wir schaffen es nicht mehr«, keuchte Sigi. »Komm, wir laufen dort auf unseren Friedhof. Da weiß ich einen trockenen Platz.«

Einen Augenblick zauderte Karl. Zum Judenfriedhof? Ihm fielen die grausigen Geschichten ein, die ihm sein Onkel Bartel von den Gespenstern dort und vom Ewigen Juden erzählt hatte. Aber Sigi schien keine Angst zu haben. Er war schon ein Stück weit weg. Wenn Sigi keine Angst hatte, dann konnte es nicht so schlimm sein.

Der Regen prasselte herab. Wie eine düstere Insel ragten die alten Bäume des Judenfriedhofes aus den Feldern auf. Eine hohe Hainbuchenhecke umschloss ihn wie eine Mauer. Sigi schaute sich um und wartete, bis Karl ihn erreicht hatte.

»Hier ist ein Durchschlupf.«

Er schob die Blätter auseinander. Ein Spalt tat sich auf. Karl erkannte, dass ein Weg innerhalb des Friedhofes rundum führte. Doch Sigi überquerte den Weg und auch einen zweiten Wegkreis, wich einigen Grabsteinen aus und strebte dem Baumriesen zu, der genau die Mitte des kreisrunden Totenackers bildete.

»Hier hinein«, sagte er.

Der Stamm war aufgerissen und hohl. Karl zwängte sich durch den Spalt. Der Innenraum war größer, als er vermutet hatte. Schon drängte Sigi nach. Es wurde eng. Aber als sie sich zurechtgesetzt hatten, reichte der Platz für zwei.

»Das ist eine sichere Höhle«, sagte Sigi.

Durch den Spalt gleißte das Blendlicht der Blitze. Die Donnerschläge überschlugen sich. Die Jungen rückten dicht zueinander.

»Ist es nicht gefährlich, beim Gewitter in einem Baum zu sitzen, Sigi?«

»Ich weiß es nicht. Aber diese Linde ist sicher dreihundert Jahre alt. Nie ist der Blitz hineingeschlagen. Warum also gerade heute?«

»Trocken ist es ja hier«, gab Karl sich zufrieden.

Sie schwiegen. Schwere Wolken hatten den Himmel ganz überzogen. Es war fast dunkel.

Jedes Mal, wenn ein Blitz aufzuckte, sah Karl durch den Spalt einen Grabstein. Er wollte nicht an das Gewitter denken und versuchte, die Schrift zu entziffern. Seltsame Zeichen zeigte der Stein. Ähnliche waren ihm auch in Waldhoffs Werkstatt aufgefallen. Eine gespreizte Hand erkannte er. Karl versuchte, seine Hand auch so zu halten:

Daumen, Zeigefinger und Mittelfinger beieinander und Ringfinger und kleiner Finger eng zusammen, aber weit abgespreizt von den andern. Er versuchte es vergeblich. Sigi sah es und machte es ihm vor. Für ihn schien es leicht zu sein. Karls Finger gehorchten nicht.

»Bei euch ist alles anders«, sagte er. »Ihr habt eine eigene Schrift, eure Toten beerdigt ihr abseits der Stadt, die Gräber sind düster, ohne Blumen, am Samstag haltet ihr euren Sonntag. Warum ist das eigentlich so?«

»Wir glauben eben anders«, antwortete Sigi. Nach einer Weile fuhr er fort: »Vater sagt, unser Volk kommt von weit, weit her und ist nun in der ganzen Welt zerstreut.«

»Ach, ihr wohnt doch schon immer hier.«

»Lange wohl. Aber immer?«

»Ist das etwa nicht so?«

»Nein. Die meisten jüdischen Familien, die in diesem Städtchen leben, sind im Mittelalter aus Köln hierher geflohen.«

»Geflohen?«

»Ja. Es ging damals auf Leben und Tod. Das Leben haben wir übrigens einem der Euren zu verdanken, dem Erzbischof von Köln.«

»Woher weißt du das alles?«

»Wir vergessen nicht schnell. Damals war in Köln eine Pest ausgebrochen. Die Juden lebten in einem Stadtteil eng beieinander. Sie sollten das Unheil herbeigezogen haben.«

»Wie kann jemand eine Krankheit herbeiziehen?«

»Die Leute dachten, die Pest sei als Gottes Strafe dafür gesandt worden, weil in der Stadt nicht nur Christen lebten. So fielen sie über die Juden her, steckten ihre Häuser in Brand und trieben unsere Vorfahren durch die Straßen. Einige kamen im Feuer um oder starben unter Steinwürfen und Stockschlägen. Da erfuhr der Erzbischof davon, eilte mit Soldaten in unser Wohnviertel und wollte die wilde Menge zur Ruhe mahnen. Doch viel fremdes Volk, das sich zu einem Kreuzzug rüstete, hielt sich damals in der Stadt auf. Es hätte nicht viel gefehlt, da hätte sich die Masse in ihrem blinden Zorn sogar gegen den eigenen Erzbischof gewandt. Der sah das Leid unseres Volkes und erinnerte sich wohl, wie häufig ihm Juden mit der Judensteuer, Geschenken und Darlehen in Geldnöten geholfen hatten, und er

16

versprach uns eine neue Heimat. Die Kölner Juden entkamen mit seiner Hilfe in andere Städte des Bistums. Doch nur wenige konnte er retten. Aufgehetzte Menschen glaubten, es sei ein gutes Werk, einen Juden zu töten. So ist unsere Familie hier in diese Stadt gekommen.«

»Warum müssen die Menschen sich eigentlich so wehtun?« Weder Karl noch Sigi wussten darauf eine Antwort.

Dann tröstete sich Karl: »Aber das ist ja lange, lange her. So etwas kommt sicher nie wieder.«

»Wer weiß das?«, fragte Sigi. Er dachte an all das dumme und böse Geschwätz, das gerade an diesem Tag wieder über die Juden verbreitet wurde.

»Was hast du, Sigi? Sind wir nicht Freunde?«

»Ja, Karl. Ich bin dein Freund.«

»Und ich bin deiner, Sigi.«

Das Donnern und Blitzen hatte nachgelassen, aber der Regen legte immer noch einen dichten Vorhang vor den Baumspalt.

Da hörten sie das Geläut von der Großen Kirche her. »Es hat eingeschlagen. Es brennt!«

Dumpf und bang klang der tiefe Ton der Glocke bis hierher zum Berg. »Wir müssen nach Hause!«

Sie sprangen aus dem bergenden Stamm hinaus und eilten der Stadt zu.


# 3


Doch nicht Blitz und Feuersbrunst zeigte der Glockenton an, sondern Wasserflut. In viele Keller war sie geflossen. Sigi und Karl sahen die Feuerwehr mit ihrer Spritze zur Niederung fahren. Sie eilten dem Pferdegespann nach und holten es ein, als die Schläuche gerade angekoppelt wurden.

»He, Jungs«, rief Brandmeister Hoppe, »zeigt, was ihr in den

Armen habt!« Er wies sie an den Pumpenbalken. An jeder Seite standen sechs Männer. Die Jungen zwängten sich zur Verstärkung zwischen sie. »Auf! Eins, zwei, drei, auf, eins, zwei, drei!«, schrie Hoppe und peitschte den Rhythmus ein. Schon saugte der Zubringerschlauch das Wasser aus dem Keller vom Oirmannshof an. Zischend und gleichmäßig schoss der Strahl aus dem Rohr. Dem Mann an der Spritze machte das Spaß, und er zielte auf die Kühe, die mit hochgeschwungenen Schwänzen davonsprangen.

»Vielleicht steht auch bei uns das Wasser im Keller«, stieß Karl hervor. Die Jungen schwitzten. Die Arme schmerzten von der ungewohnten Arbeit schon nach wenigen Pumpenzügen. Auch den Männern waren die lauten Worte vergangen. Sie keuchten und pumpten, Zug um Zug, auf und ab.

»Sollen wir nach Hause gehen?«, fragte Sigi.

Sie ließen den Pumpenarm los.

»Ihr da!«, schimpfte der Brandmeister. »Was gibt es? Wollt ihr schon schlappmachen?«

»Wir wollen nachsehen, ob es bei uns auch in den Keller gelaufen ist.«

»Nichts da. Das hier ist Notdienst. Da muss jeder zufassen.«

Die Jungen machten sich wieder an die Arbeit. Der Regen hatte aufgehört. Ganz plötzlich fiel kein Tropfen mehr aus den Wolken. Schon wagten sich die ersten Sonnenstrahlen wieder hervor. Die Erde dampfte. Endlich begann die Pumpe zu spucken.

»Wasser halt!«, befahl Hoppe. Aufseufzend ließen die Jungen die Arme sinken. Blitzschnell rollten die Feuerwehrleute die Schläuche ein.

»Jetzt geht es zu Weigling in die Stadt«, sagte der Brandmeister. Die Feuerwehrmänner schwangen sich in den Wagen. Florian griff nach den Zügeln.

»Ihr könnt mitfahren«, bot er den Jungen an. Die ließen sich das nicht zweimal sagen und sprangen auf.

»Hier, greif zu!« Hoppe hielt Karl den Schellenriemen hin. Da spürte Karl nicht mehr den Schmerz in den Muskeln und schlug die Glocke, als ob es zu einem Großfeuer ginge.

An der Ecke sprang Sigi ab. In der Mühlenstraße floss das Wasser bereits ab.

Die Keller waren trocken geblieben.

Niemand befand sich im Laden. Sigi hielt die Ladenschelle fest, ehe er die Tür ganz öffnete. So machten es Waldhoffs alle, damit Mutter oder Ruth nicht unnötig aus der Küche ins Geschäft eilten. Man musste es allerdings verstehen. Gerade im richtigen Augenblick schoss Sigis Hand durch den Spalt und griff den Klöppel. Karl hatte das schon oft versucht, aber es schien so, als ob nur die Waldhoffs diesen Griff lernen konnten.

Sigi betrat das Wohnzimmer. Der Vater saß am Sekretär und hatte ein Blatt über und über mit Notizen bedeckt. Er schaute gar nicht auf, als Sigi hereinschlüpfte. »Sechs Uhr Synagoge«, murmelte er. »Zeugen: Pfingsten, Sammy Deichsel, Josefowitsch. Sieben Uhr Rückkehr. Vor dem Haus sah mich Märzenich. Acht Uhr dreißig zum ›Goldenen Apfel‹. Dort sprach ich mit Blümer wegen des Rindes. Rück und Scheldrup waren dabei. Mit Rück ging ich zurück in unser Haus. Das war so gegen Viertel vor zehn.«

»Warum hast du nicht mit Herrn Rück getrunken, Vater?«

Das war Sigi herausgerutscht, weil es ihm gestern aufgefallen war, dass Herr Rück ganz allein ein Gläschen getrunken hatte.

Waldhoff fuhr zusammen. »Ach, du bist es, Sigi. Scher dich hinaus. Ich habe zu tun.«

Schon wollte Sigi weggehen, da rief sein Vater ihn zurück.

»Komm doch her, Junge. Vielleicht fällt dir noch etwas ein. Ich muss über jede Minute des gestrigen Tages genau Rechenschaft geben können.«

»Warum denn, Vater?«

Da nahm Waldhoff seinen Sohn bei den Armen und zog ihn dicht zu sich heran.

»Sigi, es kann sein, dass für uns schwere Tage kommen. Ruth hat eben erfahren, dass Mehlbaum glaubt, wir hätten den kleinen Jean getötet.«

»Aber das ist doch Unsinn, Vater.«

»Das ist es. Aber wir müssen uns mühen, dass alle das einsehen.«

»Was sagt Herr Mehlbaum denn?«

»Er hat beim Bürgermeister ausgesagt, dass er gestern gegen drei Uhr aus dem Fenster geschaut habe. Er sei gerade von seiner Mittagsfahrt

19

mit dem Wagen zurückgekommen. Ruth sei über den Hof zu Schyffers' Scheune gelaufen und habe einen schweren Sack geschleppt.«

»Aber das geht doch gar nicht, Vater. Wir haben doch in der
vorigen Woche unsere Tür zum Hof hin zugenagelt, weil Schloters
nicht hereinkommen sollte.«

»Richtig.« Waldhoff sprang auf. Er schlug sich gegen die Stirn.
»Daran habe ich in all der Aufregung gar nicht mehr gedacht.« Er
machte sich eine Notiz. »Siehst du, es ist doch gut, wenn du dabei
bist.«

Er las nun seinem Sohn vor, was er herausgefunden hatte: Dass er
kurz vor Ende des Hochamtes noch einmal zum »Goldenen Apfel«
gegangen war, um mit Blümer zu reden, dass Märzenich beinahe
den ganzen Nachmittag bei ihnen gesessen habe, bis sie schließlich
gegen halb fünf zur Pumpe gegangen waren.

Sigi fand noch genau die Uhrzeit heraus, wann Waldhoff vom
»Goldenen Apfel« zurückgekommen war. Denn da ging gerade
der Franziskanerbruder van de Löcht die Straße hinauf zur Großen
Kirche. Jedermann wusste, dass es dann fünf Minuten vor zwölf
gewesen sein muss. Um zwölf läutete der Bruder Tag für Tag die
Glocke zum Engel des Herrn.

Der Stundennachweis für Mutter war leicht. Sie hatte bis zum Nachmittag im Bett gelegen, weil sie starke Kopfschmerzen hatte. Aber
gab es dafür Zeugen? Kaum. Märzenich mochte ihre Stimme gehört
haben, als sie nach Wasser rief und Ruth ihr ein Glas voll frisch von
der Pumpe holte. Mehrmals war Ruth auf ein paar Minuten bei ihr
gewesen, doch das machte es nur noch schwerer. Denn auch Ruth hatte
für diese Minuten niemanden, der ihre Unschuld bezeugen konnte.

So kam es, dass es Sigi recht bange war, als Waldhoff endlich einen
Strich unter all die Zeiten und Zeugen machte.

»Übrigens, ich habe mit Rück deshalb nicht getrunken, Sohn, weil
gestern der Todestag meiner Mutter gewesen ist. Deshalb war ich
ja auch schon so früh in der Synagoge, um ihr das Jahrzeitlicht
anzustecken.«

Es dämmerte, als Sigi noch einmal auf die Straße trat. Bei der
Pumpe standen Hein Schyffers und Norbert Schmals. Sigi
schlenderte zu ihnen hinüber. Sie verstummten, als er näher kam.

»Was starrt ihr mich so an?«, fragte er.

»Wir?« Sie blickten weg.

»Komm, Hein, wir müssen nach Haus.«

Sie liefen davon. Sigi lachte hinter ihnen drein. Ob Norbert noch Angst hat, weil er vorige Woche in unserm Hof einen Stein umgestoßen hat?, dachte er.

Arglos übersah er die ersten Zeichen der Mauern, die rings um ihn emporwuchsen.

## 4

Der 1. Juli war heiß und schwül. Die kurze Abkühlung, die das Unwetter am Tage vorher gebracht hatte, war von der Sommersonne weggebrannt worden. Die Straßen lagen längst wieder trocken. Nur in den Gartenwegen erinnerte hier und da eine schmutzig braune Pfütze an den Regen des Vortages. Die Leute hatten die Kellerfenster und Luken weit aufgesperrt, damit die Feuchtigkeit aus den Mauern auftrocknen konnte. Obwohl es ein Werktag war wie jeder andere, schien die Stadt ausgestorben. Waldhoff und Sigi sahen auf ihrem Weg zum Markt keinen Menschen.

Waldhoff hatte seinen guten schwarzen Anzug angezogen, und Sigi war von Mutter in die Sonntagskleidung gesteckt worden.

Die Turmuhr schlug elf, als Waldhoff seinen Sohn in eine Haustür zog. Die Menschen strömten aus der Großen Kirche, die Kinder zuerst, in langen Reihen, von den Lehrerinnen und Lehrern geführt, die Messdiener, das Kreuz voran, die Frauen und Männer und schließlich der weiße Sarg, von sechs Jungen getragen. Der Leichenzug wollte und wollte kein Ende nehmen. Die ganze Stadt schien sich verabredet zu haben an der Beerdigung des kleinen Jean teilzunehmen. Was die Frauen anging, so mochten wohl keine dreißig fehlen. Die Männer waren weniger zahlreich vertreten. Doch aus den Bruderschaften hatten sich viele einen Tag freigenommen, und das Grün und Weiß ihrer Uniformen brachte ein wenig Farbe in den düsteren Zug.

Waldhoff und Sigi schlossen sich dem Trauerzuge an. Während die Männer auf dem Wege zum Friedhof die Perlen des Rosenkranzes durch die Finger gleiten ließen und sich auch wohl dies und das zuflüsterten, betete Sigi leise das Kaddisch-Gebet für den toten Jean, und auch Waldhoffs Lippen bewegten sich. Kurz hinter dem Wall bog der Leichenzug in den schmalen Weg zum Friedhof hin ein. Vor dem eisernen Gittertor fasste Waldhoff den Sohn bei der Schulter und hielt ihn zurück.

»Warum?«, flüsterte Sigi.

»Na, du bist schon so alt und weißt nicht, dass ein Jude keinen fremden Friedhof betritt?«

»Doch, Vater.« Die Männer vor ihnen bemerkten das Zurückbleiben der beiden, und manch verwunderter Blick traf sie.

»Wir gehen zu Onkel Kardow«, sagte Waldhoff.

Dicht am Wall hatten Peter Kardow und seine Frau Katrin ihre Metzgerei. Waldhoff war gut bekannt mit den beiden alten Leuten und hatte schon manches schöne Stück Vieh an den Metzger verkauft. Er ging mit Sigi durch den hinteren Eingang gleich in die Küche.

»Guten Morgen«, grüßten sie.

Peter Kardow schaute über seinen Brillenrand hinweg, erkannte Waldhoff und ließ die Zeitung sinken.

»Ah, Waldhoff. Du kommst gerade richtig.« Dann hob sich seine Stimme, und er rief zum Laden hinüber: »Komm, Katrin, stell noch zwei Tassen mehr auf den Tisch. Waldhoff ist da.«

Katrin Kardow kam in die Küche, klein, schmal, ein blasses Mausgesicht, so ganz anders, als man sich eine Metzgersfrau vorstellt. Sie sah den schwarzen Anzug und fragte: »Ist die Beerdigung schon vorbei?«

Noch ehe Waldhoff darauf antworten konnte, schallten über Friedhofsmauer und Wall hinweg die Stimmen der Kinder: »Wie des Feldes Blumen sind Menschen, all ihre Herrlichkeit ist wie Gras auf dem Felde.«

Sie lauschten den verklingenden Tönen. Kardow zog seine Mütze vom Kopf.

»Wahr ist es, wahr ist es«, brummelte er vor sich hin.

Seine Frau goss den Kaffee ein. Fest presste sie die farblosen Lippen zusammen. Waldhoff und Sigi setzten sich.

»Die Zeitung ist voll von dem Unwetter«, erzählte Kardow. »Im Klevischen und in Krefeld muss es noch toller gewesen sein. An der holländischen Grenze ist ein ganzes Anwesen mit allem Vieh verbrannt.«

Waldhoff griff nach der Zeitung. Kardow aber redete und redete, wie es sonst gar nicht seine Art war, bis Waldhoff ihn schließlich ganz verwundert anschaute und fragte: »Hat Katrin dir heute schon einen Schnaps erlaubt, Peter? Du bist so gesprächig.«

Da lachten sie beide. Waldhoff hielt gerade seine Tasse an die Lippen, als Frau Kardow, die bislang stumm am Tisch gestanden hatte, fragte: »Sag mal, Bernhard, hast du wirklich den kleinen Jean umgebracht?«

Sigis Magen krampfte sich zusammen. Er sah, wie alle Farbe aus dem Gesicht seines Vaters wich. Er wurde weiß bis in den Bart hinein. Die Tasse in seiner Hand begann zu zittern, der Kaffee schwappte über und netzte den guten Anzug. Hart stellte er sie auf die Tischplatte zurück. Mühsam stand er auf.

»Das kannst du von mir denken, Katrin?«

Zornig war auch Kardow aufgesprungen und fuhr seine Frau an: »Du bringst mich mit deiner Zunge noch ins Grab.«

Waldhoff wandte sich zur Tür. Kardow versuchte, ihn am Rock zu halten, doch Waldhoff schien das nicht zu spüren. Schließlich rief er ihm nach: »Denk daran, Montag brauche ich die Kuh schon um sieben.«

Als er merkte, dass Waldhoff ihn nicht hören wollte, redete er auf Sigi ein: »Sag ihm, dass ich die Kuh brauche. Um sieben, hörst du?«

»Ja, Onkel Kardow.«

Stumm gingen die beiden fort, Hand in Hand. Vorsichtig schaute Sigi dem Vater ins Gesicht. Da sah er, dass die Tränen glitzernde Spuren darin gezeichnet hatten.

Als sie in die Mühlenstraße einbogen, schnäuzte Waldhoff sich, blieb einen Augenblick stehen und sagte dann: »Davon wird Mutter nichts erfahren, hörst du?«

»Gut«, versprach Sigi.

# 5

*H*öchste Zeit für Ferien«, schimpfte der dicke Wim und warf seine Schultasche über sechs Tische hinweg auf seine Bank. »Der Mief von geölten Böden und Tafelkreide macht mich noch krank, verdammt noch mal.«

»Wer flucht hier?« Scharf übertönte Lehrer Coudenhovens Frage den Lärm.

Schon schlecht, dachte Sigi. Er hat sein übliches Schwätzchen mit Fräulein Duttmeier ausgelassen.

Der dicke Wim meldete sich.

»Wir sind bei der Silbentrennung, mein Junge.«

Herr Coudenhoven schloss das Pult auf und holte den Haselnussstock aus der Schublade. »Trenne diese unerwünschten Wörter, mein Junge! Na, wird es bald?«

Der dicke Wim stotterte: »Ver-dammt noch mal!«

»Klatsche dabei in die Hände.«

Wim wiederholte: »Ver-dammt noch mal«, und bei jeder Silbe klatschte er kräftig.

»Ausgezeichnet, mein Sohn. Bücke dich tief. Das Klatschen übernehme nun ich.«

Wim trennte zum dritten Male, doch das »Noch mal« brüllte er laut. Coudenhovens Handschrift war bekannt. Das bekam der dicke Wim zu spüren. Er rieb sich sein Hinterteil.

Verdammt noch mal, dachte er. Aber vorläufig wollte er das Wort nicht mehr über die Lippen bringen. »Höchste Zeit für Ferien«, murmelte er.

»Sagtest du etwas, mein Junge?«

»Och nein, Herr Lehrer.«

»Gut, setz dich!« Es schien ein schlechter Schlusstag zu werden. Gleich zu Beginn tanzte schon der Stock. Sonst erschien er nur selten und gewiss nicht vor der vierten oder fünften Stunde.

»Wann haben wir heute frei, Herr Coudenhoven?«, flog es Hein Derko aus dem Mund. Der Lehrer hörte darüber hinweg.

Los ging es. Silbentrennung. Thema: Schwimmen im Baggersee.

Mündlich. Klatschen. Kurzdiktat. Vorlesen. Wiederholung. Klatschen. »Der vergrault mir noch das ganze Baden«, flüsterte Karl zu Sigi hinüber.

»Ulpius!« Karl schoss hoch.

»Wie hieß das Wort noch mal, Herr Lehrer?«

»Komm her, mein Junge.«

Karl bückte sich, bevor ihn noch der Lehrer dazu aufgefordert hatte.

»Es heißt: Baggerlochdampfschifffahrtsgesellschaftskapitän.«

In der Klasse kicherte es. Zwölf Silben? Karl kroch das Kribbeln in die Knie.

»Trennen mit Klatschen.«

Karl begann: »Bag-ger-loch-dampf-schiff-fahrts-ge-sell-schafts-ka-pi-tän.«

»Wie viele f?«

»Bei der Trennung drei, sonst zwei.«

»Gut. Warum?«

Karl stand immer noch in gebückter Haltung.

»Bei Selbstlauten hinter dem dritten f . . .«

Doch dann stockte er.

»Weiter!«

Karl schluckte. Wie war das noch?

Da rief Sigi plötzlich mit mühsam verhaltener Stimme: »Da, eine Maus!«

Die Jungen in den letzten Bänken erhoben sich so leise, wie der Lehrer es bislang vergeblich gewünscht hatte. Richtig, da kroch sie unter dem Wandschrank hervor. Es war ein kleines, keckes Tier. Kurz vor der ersten Bank fand es ein Krümelchen Brot, knabberte daran, huschte weiter. Sechsundvierzig Augenpaare hingen wie gebannt an dem grauen Frechdachs, der jetzt ganz in der Nähe von Lehrer Coudenhoven Männchen machte und sich den Bart strich. Herr Coudenhoven hob den Stock. Die Jungen hielten den Atem an. Arme Maus! Der Lehrer war im Training. Der Stock zischte nieder, klatschte auf den Boden. Um wenige Millimeter verfehlte er die Maus. Die machte einen Satz und sauste unter die Bänke.

Herr Coudenhoven hätte das Kommando »Fangen!« gar nicht mehr zu geben brauchen. Das Geschrei stand dem einer wirklichen

Treibjagd nicht nach. Schon hatten sie das Tier in die Ecke gescheucht. Es rannte wie irr hin und her. Da öffnete sich die Tür zum Klassenzimmer. Rektor Solle stürmte herein und brüllte: »Was ist denn das für ein Zirkus?«

Schnell drängten sich die Jungen in ihre Bänke zurück. Die Maus nutzte die Gunst des Augenblicks und verschwand unter dem Wandschrank. »Eine Maus, Herr Solle.«

Diesmal schien es den Jungen, als ob Herr Coudenhoven ein wenig stotterte.

»Aha, eine Maus. Herr Kollege, ich hätte Sie in diesem Durcheinander gar nicht vermutet. Entschuldigen Sie bitte. Guten Morgen.«

Krach. Die Tür war zu, ehe noch Viktor Schweers hinzuspringen konnte.

»Oje, oje«, hauchte Sigi. Karl zog die Brauen hoch. Das Gewitter ließ nicht lange auf sich warten. Die Klasse wurde an diesem Morgen genau beschrieben: dumm, faul, ungehobelt, begriffsstutzig, lahm und noch einiges, was eigentlich zu den Wörtern gehörte, die Lehrer bei anderen im Allgemeinen mit »unerwünscht« bezeichneten.

Das alles ertrugen die Jungen mit einem gewissen Gleichmut und dachten daran, dass er höchstens einmal im Halbjahr in solch schlechter Laune war. Dass er aber ausgerechnet an diesem letzten Schultag vor den großen Ferien die Klasse eine Stunde nachsitzen lassen wollte, das machte nicht nur den dicken Wim wütend.

Der Lehrer blieb unerbittlich. Selbst als Viktor Schweers gegen Ende der Unterrichtszeit vorsichtig eine Bitte um Gnade anzubringen versuchte, tat er, als ob der Junge Luft sei. Sigi hoffte noch darauf, dass er zu der üblichen Konferenz vor Ferienbeginn müsse und sie doch noch laufen lasse. Herr Coudenhoven aber schrieb Aufgaben an die Tafel. Lauter große Zahlen waren durch 19,53 zu teilen. Langweiliger Kram.

»Das sage ich euch, wenn nur einer den Mund auftut, dann sitzt ihr heute Nachmittag noch hier.« Er ging hinüber zum Lehrerzimmer.

Mit Donnergetöse jagten die Schüler der anderen Klassen in den Hof. Jubelnd und ausgelassen begrüßten sie die Ferien. Nur die siebte Klasse saß und rechnete.

»Die 19,53 macht mich noch krank, verdammt noch mal«, fluchte

Wim. Diesmal war es Viktor, der die Maus als Erster entdeckte.

»Pst, da ist sie wieder.«

Vorsichtiger als vor zwei Stunden schnupperte sie und verließ nur zögernd ihren sicheren Platz. Der dicke Wim war aufgesprungen.

»Lasst sie weit herauskommen. Dann machen wir einen Kreis mit unseren Füßen.«

Alle starrten auf das Tier. Allmählich gelangte es in die Mitte des freien Raumes vor der Tafel.

»Kreis!«, befahl Wim.

Die Jungen schlichen sich nach vorn. Noch ehe die Maus entkommen konnte, war sie im Kessel.

»Dummes Vieh. Du bist schuld.« Von überall her flogen Schimpfworte durch den Kreis, leise allerdings, damit nicht wieder der Rektor herbeigeschrien wurde. Aber gerade das geflüsterte Geschimpfe klang verbissen und hasserfüllt. Es war, als ob die Jungen ihre ganze Wut gegen diese Maus schleudern wollten. Sie näherte sich den Füßen nur bis auf wenige Zentimeter und schoss dann zurück. Allmählich schien sie zu merken, dass sie in einer Falle saß. Ihr Zickzack wurde hektisch. Einmal versuchte sie bei Hein Derko den Durchbruch. Der schaufelte sie mit dem Fuß wieder in die Mitte des Kreises. Sie fiel auf den Rücken, doch krabbelte sie sich auf, floh weiter, hin und her.

»Du sollst es büßen«, zischte der dicke Wim. Mit einem Stückchen Kreide warf er nach ihr. Plötzlich hatten viele etwas in der Hand, Schlüssel, Knicker, flache Steine schlugen auf den Boden.

»Das ist doch nicht richtig, oder?«, wagte da Viktor zu sagen.

»Muttersöhnchen! Kannst wohl kein Blut sehen, was?«, spottete Hein Derko, ohne auch nur zu Viktor hinzuschauen. Der zuckte die Achseln und blieb im Kreis. Er warf zwar nicht, ging aber auch nicht davon.

Karl allein schien verstanden zu haben, was Viktor meinte. Er steckte die bunte Glasscherbe, die er als Wurfgeschoss hervorgeholt hatte, wieder in die Tasche zurück. Er sah sich im Kreise um. Da standen die Jungen, leicht vorgebeugt, Mordlust in den Augen.

Jubel klang auf. Hein Derko hatte die Maus getroffen. Sie zuckte. Ihr rechtes Hinterbein schleifte ein wenig nach. Wim hob einen Schlüssel auf, der ihm vor die Füße gerutscht war. Es war ein großer Hausschlüssel. Pitt zielte, warf. Sein Geschoss traf das verletzte Bein. Die Maus war langsamer geworden. Kurts Stein streifte sie. Sie kroch nun blind gegen die Füße der Jungen. Die schleuderten sie zurück, wieder und wieder.

»Hört auf!«, rief Karl.

»Ssst! Sei still. Du lockst den Lehrer her mit deinem blöden Geschrei.«

»Hört endlich auf!«, schrie Karl jetzt. »Das ist Tierquälerei!«

Wim schien ihn nicht zu hören. Er warf den Schlüssel. Quer auf dem Rücken der Maus schlug er auf. Die wälzte sich, Blut quoll ihr aus dem Spitznäschen, wild ruderten die Vorderbeine in der Luft.

»Bravo!« – »Gut gezielt!«, schrien die Jungen und vergaßen alle Vorsicht. Wim griff die zuckende Maus am Schwanz und hielt sie wie eine Siegestrophäe empor. Da raste Karl in den Kreis, schlug ihm das elende Tier aus der Hand und trat mit seinem Fuß darauf.

»Ihr seid gemein! Hundsgemein!«, schrie er. Der Zorn stand ihm im Gesicht. Selbst der starke Wim hielt es für richtiger, diesmal nicht mit Karl zu streiten.

»Was ist denn hier schon wieder los?«

Sie fuhren herum.

»Wir haben die Maus, Herr Lehrer«, sagte Viktor. Er war ein wenig weiß um die Nase.

»Ach, da liegt es ja, das Biest«, sagte Herr Coudenhoven und entließ die Jungen in die Ferien.

# 6

Sigi und Karl sprachen auf dem Heimweg kein Wort über das, was geschehen war. Bevor sie sich trennten, fragte Sigi: »Was machen wir heute Nachmittag?«

»Ich muss gleich nach dem Essen für Vater einen Brief zu Onkel Flint nach Sackenberg bringen. Willst du mitkommen?«

»Ziemlich weit, nicht?«

»Ich bekomme das Geld für den Zug. Wenn wir hinlaufen, dann reicht es für uns beide für die Rückfahrt mit dem Zug.«

»Also abgemacht. Wann treffen wir uns?«

»Ich komme gegen zwei bei euch vorbei.«

Pünktlich zur vereinbarten Zeit gingen sie los. Sie schafften die fünfzehn Kilometer in etwas über zwei Stunden. Verschwitzt kamen sie in Sackenberg an. Tante Flint gab ihnen ein großes Glas Himbeersaft und fütterte sie mit frischem Streuselkuchen.

»Den backe ich immer am letzten Schultag«, sagte sie.

»Wen hast du denn da mitgebracht?«, erkundigte sich Onkel Flint.

»Das ist mein Freund Sigi Waldhoff.«

»Waldhoff?«

Onkel Flint griff nach der Zeitung, las, schüttelte den Kopf und fragte: »Von dem Waldhoff, der . . .«

»Ja, der bin ich«, antwortete Sigi und warf den Kopf in den Nacken.

»Na, na, Junge«, begütigte Tante Flint. »Man darf nicht alles glauben, was geredet wird.«

Onkel Flint nickte. »Natürlich nicht. Es ist euch sicher angenehm, dass ein Kriminalkommissar aus Düsseldorf kommt und Licht in die Sache bringen will?«

Das war für die Jungen eine neue Nachricht. Onkel Flint reichte ihnen die Zeitung. Schwarz auf weiß stand es da. »Ein KK aus Dü wird noch heute am Tatort eintreffen.« Ein Foto des KK aus Dü zeigte ein rundes Gesicht mit gewaltigem Schnauzbart und vervollständigte den Bericht. »Sieht eher aus wie ein Schmied«, sagte Sigi.

»Kaka aus Dü, gut, was?«

»Ja, sehr gut, Kakadü.«

»Was heißt hier Kakadü?«, fragte Onkel Flint.

»Steht doch hier.« Karl hielt den Finger auf die Zeile: »KK aus Dü.«

»Keine schlechte Abkürzung für den Kriminalkommissar«, schmunzelte Onkel Flint.

Tante Flint erkundigte sich nach Karls Eltern, ob der Vater in den Ferien auch wegfahre, wie es der Mutter gehe, und wollte all die vielen Dinge wissen, die für Tanten wichtig sind. Onkel schrieb derweil eine kurze Antwort. Dann war es so weit. Wenn sie den

Zug noch erreichen wollten, mussten sie sich verabschieden. Tante packte für die Reise zwei Stücke Kuchen ein und ließ es sich nicht nehmen, die Jungen zum Bahnhof zu bringen, damit sie nicht in den Zug nach Düsseldorf einstiegen. Der richtige Zug stand bereits am Bahnsteig. Sie fand ein leeres Abteil. Karl beugte sich aus dem Fenster und ließ die Mahnungen der Tante über sich ergehen, ja von der Tür wegzubleiben, das Fenster nicht während der Fahrt zu öffnen, nicht die Klotür mit der Abteiltür zu verwechseln – alles sei schon vorgekommen.

Sigi schaute sich die Leute auf dem Bahnsteig an. Als der Bahnhofsvorsteher seine rote Mütze aufsetzte und aus dem Gebäude trat, näherte sich ein großer, behäbiger Mann. Er trug einen Strohkoffer. Sigi erkannte ihn auf den ersten Blick. Es war der Kakadü. Er liebte wohl Gesellschaft, verschmähte die erste Klasse und stieg ins Nebenabteil zu ein paar Bauersfrauen, die ihre Ware in die Stadt gebracht hatten und jetzt heimfuhren. Die Tür bumste ins Schloss. Der Zug ruckte an.

»Die Tante macht mich noch krank, verdammt noch mal«, äffte Karl den dicken Wim nach.

»Ist das deine richtige Tante?«

»Wieso?«

»Na, weil du sie mit ihrem Familiennamen anredest.«

»Ist sie nicht. Onkel Flint und Vater haben in Marburg zusammen studiert. Sie sind Freunde.«

»Er ist übrigens hier«, flüsterte Sigi. Er konnte die Neuigkeit nicht länger bei sich behalten.

»Wer?«

»Kakadü.«

»Du spinnst!«

»Du spinnst selber. Er sitzt im Nebenabteil. Sieh doch nach.«

»Ich kann doch nicht einfach ins Abteil stieren.«

»Geh doch zum Klo, dann musst du durch das Abteil.«

»Au ja!«

»Aber verwechsle nicht die Klotür mit der Abteiltür. Alles ist schon vorgekommen.«

»Blödmann.«

Karl kehrte bald zurück. »Ist er«, bestätigte er. »Sieht wirklich aus wie ein Schmied, nicht?«

»Ob er es schafft?«

Allmählich kam drüben eine Unterhaltung auf. Vom Wetter erst, dann von den Geschäften. Wie alle Gespräche im ganzen Umkreis endete es schließlich beim Kindesmord.

»Wie, Sie haben noch nichts davon gehört?«, entrüstete sich eine Frau.

»Der Herr kommt sicher von weit her, Fine«, sagte eine andere Stimme.

»Allerdings, allerdings«, bestätigte Kakadü.

»Na, so weit ist Düsseldorf ja auch nicht von hier weg«, tuschelte Karl. Doch Sigi legte den Finger über den Mund und machte lange Ohren.

»Ganz furchtbar ist die Geschichte. Das kleine, unschuldige Würmchen. Und nur für das Blut. Es ist eine Schande.«

»Was meinen Sie mit Blut, Frau?«, fragte Kakadü.

»Der Mehlbaum hat es von seinem Sohn gehört. Der ist Mediziner. Die Juden brauchen das Blut. Einem Dienstmädchen haben sie in Krefeld ein Goldstück dafür angeboten, dass es sich in den Finger schnitt und das Blut in einen goldenen Becher tropfen ließ.«

»Soso.«

»Ob Sie das glauben oder nicht. Der Waldhoff hat es getan. Mit einem Sack haben sie die Tochter über den Hof laufen sehen. Das arme Würmchen. Wenn doch nur einer beobachtet hätte, wie das Kind ins Haus gelockt worden ist.«

»Und sonst immer so anständige Leute«, fuhr die andere dazwischen.

»Der Schyffers sagt, ehrlich bis auf die Knochen, sagt er. Waldhoff sei viel zu ehrlich. Er käme zu nichts. Hat er gesagt, der Schyffers. Der muss es ja wissen. Die Waldhoffs kaufen dort. Das Kind haben sie dort in der Scheune gefunden. Ohne Blut. Mein Mann ist bei Schyffers in der Gaststube gewesen. Es waren viele Männer dort. Da hat es der Schyffers erzählt.«

Kakadü begnügte sich damit, den Redestrom der Frauen mit ein paar »Soso« und »Aha, aha« in Fluss zu halten.

»Und auf den Friedhof ist er nicht gegangen, der Waldhoff, der Jud. Die Leiche hat er sich auch nicht ansehen wollen. Er hat es nicht gekonnt, wissen Sie. Hat sicher befürchtet, dass die Wunde wieder zu bluten beginnt, wenn der Mörder kommt. Er ist ja sonst ein anständiger Mann. Nichts kann man ihm nachsagen. Komisches Volk, diese Juden. Bringen so mir nichts, dir nichts ein Kind aus der Nachbarschaft um.«

»Aber, liebe Frau«, protestierte Kakadü nun doch, »Sie scheinen den Täter ja schon genau zu kennen?«

»Jeder kennt ihn doch, lieber Herr. Oder trauen Sie einem Christenmenschen so etwas zu?«

»Nun, in den Gefängnissen sitzen ja nicht nur Juden, oder?«

»Neenee, aber so was, ohne Blut!«

»Weiß man denn nicht, wo Waldhoff an dem Nachmittag war?«

»Doch, aber das kann nur der Nachbar, der Märzenich, bestätigen. Und dem glaubt es keiner. Der geht mit der Ruth Waldhoff. Was bleibt dem schon anderes übrig, als bei der Stange zu bleiben?«

In weniger als einer Viertelstunde erfuhr Kakadü das ganze aufgedunsene Gerücht.

Sigi kauerte auf der Bank und hatte die Hände vor das Gesicht geschlagen. Karl versuchte, ihn zu trösten: »Lass die Weiber doch reden. Hör nicht auf das Geschwätz.«

»Sei still. Ich will wissen, was sie über uns sagen.«

Karl fiel plötzlich die Maus ein. Die hatte wenigstens versucht, dem tödlichen Kreis zu entkommen. Doch Sigi saß da, die Lippen gegeneinandergepresst, die Knie angezogen.

Da schoss ihm zum zweiten Male an diesem Tage das Blut in den Kopf. Er stürzte in das Nebenabteil und schrie: »Hört auf!«

Erschrocken blickten die Frauen ihn an. Leise fügte er hinzu: »Hört endlich auf, ihn zu quälen.«

Sigi war dem Freund nachgeeilt und zog ihn am Ärmel. »Lass doch, Karl, lass doch.«

»Was ist hier eigentlich los?«, fragte Kakadü.

»Das ist mein Freund, Sigi Waldhoff«, antwortete Karl. Doch inzwischen hatte er Angst vor der eigenen Courage bekommen und wollte wieder in sein Abteil zurück.

»Ach Gott, ach Gott, der arme Kerl!«, hörte man die Frauen. Sigi hielt sich die Ohren zu. Der Zug erreichte einen kleinen Bahnhof. Die Frauen stiegen aus. Eine, die sie Fine genannt hatten, schob sich ins Abteil und reichte Sigi einen gelb-roten Apfel. Als der ihn nicht annahm, legte sie ihn verwirrt auf die Bank. Kaum hatte sich der Zug wieder in Bewegung gesetzt, da ergriff Sigi den Apfel und warf ihn durch das Fenster über den Bahnsteig hinweg in die Wiesen.

»Na, na«, sagte Kakadü und setzte sich zu den Jungen. »Der Apfel kann doch nichts dazu.«

»Wir wissen genau, wer Sie sind. Sie sind der Kriminalkommissar aus Düsseldorf.«

»So. Mich wundert nur, dass die Frauen mein Bild nicht in der Zeitung gesehen haben.« Er schwieg eine Weile und drehte seinen Schnurrbart. »Warum hat sich dein Vater nicht die Leiche angesehen, warum habt ihr den Friedhof nicht betreten?«

»Wir sind vom Stamm Levi, Herr Kommissar. Wir gehen nur zu Toten aus unserer nächsten Verwandtschaft.«

»Hm.«

»Finden Sie bald den Mörder, Herr Kommissar?«

»An mir soll es nicht liegen, Jungs.«

Bevor sie ausstiegen, gab er den beiden die Hand und murmelte noch einmal: »An mir soll es nicht liegen, an mir nicht.«

## 7

*U*nd betreten hat er den Friedhof nicht«, zischelte Frau Huymann über die Theke hin. »Ganz blass soll er geworden sein. Mein Mann sagt, er habe seinen Fuß einfach nicht über die Schwelle des gesegneten Bodens bekommen können.«

»Das ist ein Zeichen, das ist bestimmt ein Zeichen.« Frau Mall sagte das. Frau Mall sah häufig Zeichen, schwarze Katze über den Weg von links, Morgenrot an einem Freitag, Käuzchenschrei in der Johannisnacht, Leiche über den Sonntag im Haus. Darüber lachten die meisten. Aber diesmal? Hatte sie nicht recht?

»Sie wünschen, bitte?«, unterbrach Herr Schyffers das Geschwätz.

»Ein halbes Pfund fetten Holländer, Herr Schyffers. Aber was sagen Sie zu der ganzen Sache? Schließlich ist der Mord doch in Ihrem Hause entdeckt worden.«

»Tja, was soll ich sagen. Die Waldhoffs sind immer anständig gewesen. So, hier ist der Käse. Macht achtundsiebzig Pfennig.«

»Ja, anständig! Aber alles deutet doch darauf hin . . .« Frau Huymann schwieg und schaute viel sagend in die Runde.

Die Türklingel schepperte. Ruth Waldhoff kam herein. »Na ja«, seufzte Frau Huymann, »schreiben Sie es mal an bis zum Freitag.«

»Das kommt zum Beispiel bei den Waldhoffs nicht vor«, knurrte Herr Schyffers, aber wohlweislich so leise, dass nur das Lehrmädchen es verstand.

»Bitte, wer ist jetzt an der Reihe?« Die Frauen waren zur Seite gerückt. Ruth stand allein mitten vor dem Ladentisch. Sie sah sich um. Die Frauen starrten sie an.

»Wer ist dran?«, fragte Herr Schyffers und räusperte sich.

»Ich bin zuletzt gekommen«, sagte Ruth leise.

»Nun, wenn keiner bedient werden will . . . Was wünschen Sie, Fräulein Ruth?«

Verwirrt blickte sie zu Boden. Das Blut färbte ihr Gesicht dunkel. »Ich, ich möchte das Brot abholen, das Sigi heute zum Abbacken gebracht hat.«

Herr Schyffers fand es heraus und reichte es ihr. »Zehn Pfennig«, sagte er. Ruth legte die Münze auf das Zahlbrett und ging mit einem kurzen Gruß. Nur Herr Schyffers sagte Auf Wiedersehen.

Kaum hatte sich die Tür wieder geschlossen, da schwoll das Gerede wieder an. Durch das Schaufenster sah Ruth, wie die Frauen die Köpfe zusammensteckten, erregt, gierig. Schnell schlüpfte sie zu Märzenichs hinein. Niemand schien im Hause zu sein. Die Tür zu Vater Märzenichs Zimmer stand offen.

»Komm einen Sprung zu mir, Kind«, rief die Greisenstimme.

Ruth setzte sich auf den Stuhl neben sein Krankenbett. Er lag schon Monate. Eine Lähmung kroch in beiden Beinen täglich weiter aufwärts. Aber sein Verstand war klar. Er hatte es gern, wenn sich Ruth eine Weile bei ihm aufhielt.

»Du siehst so ernst aus, Ruth. Ist etwas?«

»Ach, du weißt ja, Vater Märzenich, sie reden über uns.«

»Lass sie reden, Kind. Geschwätz ist wie das Meer, es kommt und geht.«

»Du hörst es nicht, Vater Märzenich. Es ist nicht nur ein Gerede. Sie glauben es schon, so oft haben sie es sich selbst eingeredet.«

»Was glauben sie, Kind?«

»Nun, dass wir – dass Vater den Jungen umgebracht hat.«

»Dummes Zeug. Er hat ein hieb- und stichfestes Alibi. Gerd war doch den ganzen Nachmittag über bis zur Pumpenkirmes bei euch. Er weiß doch, dass dein Vater nie das Wohnzimmer verlassen hat.«

»Du hast recht. Es ist sicher dumm, dass wir uns Sorgen machen. Aber es ist merkwürdig, wie die Nachbarinnen mich anstarren. Bei Schyffers haben sie mich sogar als Erste kaufen lassen, obwohl sie doch eher im Laden gewesen sind als ich. Sie sind mir so fremd geworden, unheimlich fast. So kannte ich sie bisher nicht.«

»Ganz wirst du die Menschen nie kennenlernen, Kind. Sie haben so viele Überraschungen bereit, dass es ein ganzes Leben lang reicht.«

»Na, mir reicht's jetzt schon«, antwortete Ruth.

Sie strich über ihren Rock. Die Erregung hatte ihr Gesicht gerötet. Eine Strähne des braunen Haares war in ihr Gesicht geglitten. Der Alte sah sie an. Er verstand seinen Sohn. Ruth war schön. Ihre gerade, schmale Nase, die großen Augen, die feine Haut. Selbst ihren Händen schien die Arbeit nichts anhaben zu können.

»Du schaust mich so an, Vater Märzenich.« Sie lachte ihm zu.

»Warum soll ich nicht? Ist das nur etwas für junge Männer?«

»Wenn du mich neckst, dann gehe ich lieber.«

Sie erhob sich.

Da knallte unten eine Tür.

»Vater!« Das war Gerd. Er stürmte die Treppe herauf. »Ach, sieh mal an, die barmherzige Samariterin.«

»Ich bin keine Samariterin. Das weißt du. Ich komme aus dem Stamm Levi!«

»Ach, ihr mit euren Stämmen. Wer soll sich da auskennen?«

Gerd trug einen Wasserkessel in der Hand. Er trat an das Bett und sagte: »Gib mir einen Rat, Vater. Hier, der Boden hat sich gelöst. Wie kriegt man das am besten wieder hin?«

Vater Märzenich besah sich den Schaden.

»Es spricht sich herum, Ruth, dass wir alle Kessel wieder so machen, dass du sie von neuen nicht unterscheiden kannst. Gestern kam die Bäuerin vom Wischershof und brachte mir neun Pfannen und Kessel. Wenn das so weitergeht, dann können wir bald einen Gesellen einstellen. ›Kesselschmied gesucht‹, steht dann in unserer Zeitung.«

»Lass die Kirche im Dorf, Junge. Ich würde bei diesem Kessel einen ganz neuen Boden einziehen. Der alte macht es nicht mehr lange.«

»Meinst du? Er gehört Frau Wittgenstern. Die wird über den Preis nicht gerade froh sein. Ich habe ihr gesagt, es werde nicht teuer.«

»Ich würde dies sehr billig berechnen«, mischte Ruth sich ein.

»Ärger ist kein guter Werber.«

»Still, die Frau Meisterin spricht«, spottete Gerd.

»Bilde dir bloß nichts ein, du Bär«, antwortete sie und stieß nach ihm. Doch ehe sie sich's versah, hatte er ihr mit dem schwarzen Finger auf die Nase getupft. Sie lief an die andere Seite des Bettes.

»Was macht ihr wieder für einen Lärm?«, schrie Frau Märzenich aus der Küche herauf. »Nehmt doch ein wenig Rücksicht auf den kranken Mann.«

Vater Märzenich legte den Finger über den Mund und zwinkerte vergnügt. »Ich meine, Ruth hat recht, Gerd. Wenn du auch an diesem Kessel nichts verdienst, Frau Wittgenstern wird dich loben. Lob macht unsere Schmiede bekannt.«

»Ich werde demnächst ein Schild vor die Tür hängen: ›Hier werden Kesselböden kostenlos eingesetzt. Lob allerdings erwünscht.‹ «

Zwar sah Gerd ein, dass Ruth einen guten Vorschlag gemacht hatte, doch mochte er es nicht zugeben.

»Ich muss jetzt gehen. Mutter wartet bestimmt schon auf das Brot. Wiedersehen, Vater Märzenich.«

»Einen Augenblick noch, Kind.« Märzenich richtete sich ein wenig auf. Das bereitete ihm Schmerzen, doch schließlich kam er auf die Ellenbogen.

»Kommt mal beide her.« Sie traten vor sein Bett. Ruth schob ihm ein Kissen unter die Schultern.

»Weiß der liebe Himmel, was noch alles aus diesem scheußlichen Kindesmord wird. Aber was auch kommt, Gerd, ich will, dass du mir jetzt unter den Augen von Ruth fest in die Hand versprichst, dass du die Wahrheit sagen wirst, ob man sie von dir hören will oder nicht.«

»Was machst du daraus für eine Geschichte, Vater! Warum soll ich die Wahrheit denn verschweigen?«

»Ich bitte dich, Sohn, versprich mir, was ich wünsche.«

»Aber, Vater Märzenich«, sagte Ruth befremdet, »Gerd wird sicher all das sagen, was er weiß.«

»Er soll es versprechen«, beharrte starrköpfig der Alte.

»Also gut, Vater. Ich halte es zwar für selbstverständlich, aber ich will es dir ausdrücklich versprechen: Die Wahrheit, immer die Wahrheit.« Er lächelte ein wenig dabei, wie die Jungen dann und wann über den Kopf der Alten hinweg zu lächeln pflegen. Märzenich ließ sich in die Kissen zurücksinken. Sein Gesicht entspannte sich.

»So ist es gut«, murmelte er und schloss die Augen.

Leise verließen Ruth und Gerd das Zimmer. Im Treppenflur flüsterte Gerd ihr zu: »Treffen wir uns morgen um halb neun bei den Buchen?«

»Warum da draußen bei den Buchen? Scheust du die Menschen?«

»Ich muss mit dir reden. Allein. Kommst du?«

»Mal sehen«, flüsterte sie und wischte davon.

Er blickte ihr nach. Sie ist wie eine Feder, leicht und zart, dachte er. Jedes Mal, wenn ich denke, ich kann sie mit meinen Händen fassen, dann weht sie davon.

Mutter rief aus der Küche: »War sie schon wieder bei Vater? Sie hat doch sicher um diese Zeit andere Arbeit, oder?«

»Was hast du nur gegen Ruth, Mutter?«, antwortete Gerd aufgebracht.

Er trat in die Küche. »Alles, was sie tut, ist dir nicht recht. Kommt sie nicht, dann ist es nicht gut, kommt sie, dann schimpfst du auch.«

Ärgerlich wandte Frau Märzenich sich ihm zu. Ihr Gesicht war von der Hitze des Herdfeuers gerötet.

»Ach, immer Ruth, Ruth! Ich kann den Namen schon nicht mehr hören. Du bist zu jung für ein Mädchen. Und dann eine Jüdin!«

Sie spie in die Kohlen und griff nach der Pfanne. Gerd warf die Tür ins Schloss und stapfte in die Schmiede zurück.

»Vom Stamm Levi«, knurrte er, schlug dann mit der flachen Hand gegen den Kessel, dass es wie ein Gong durch das Haus schallte. Er dachte: Warum muss alles so verwickelt sein, was ich auch anfasse? Hammer und Amboss, das glühende Eisen dazwischen, das ist einfach und klar. Aber hinter der Schmiedetür, da fängt das Elend an.

Bald dröhnten die Hammerschläge dumpf und hart. Er hatte sich den Vorhammer vom Werkzeugbrett genommen und drosch auf ein Eisenband los, als ob es allein seine Welt durcheinandergebracht hätte.

## 8

*F*ern hinter der Großen Kirche wuchs das erste, kalte Morgenlicht, als Sigi mit Vater aus dem Hause trat.

»Guten Handel«, wünschte die Mutter und winkte ihnen nach. Die Tritte der beiden hallten durch die Straße. Eine getigerte Katze huschte in Märzenichs Keller. Waldhoff hatte seinen Knotenstock mitgenommen. Bis zum Blümerhof war es eine gute Wegstunde, und gegen sieben wollte Waldhoff die Kuh bei Kardow abliefern.

Sie bogen um die Ecke. Die Fürstenstraße verengte sich zu dem schmalen Stadttor. Die Spitzen der Tortürme glühten im Frühlicht. Als sie an Sellers Haus vorbeikamen, fasste Sigi Vaters Hand.

Zwei Häuser weiter öffnete sich die Haustür, und Mehlbaum trat heraus. Er stand jeden Morgen zeitig auf.

»Guten Morgen«, grüßte Waldhoff und zog den Hut.

»Morgen«, knurrte Mehlbaum mürrisch und wollte eilig vorbeigehen.

»Du, Georg, ich habe gehört, dass du etwas ausgesagt hast.«

Mehlbaum blieb stehen, sah Waldhoff frei ins Gesicht und antwortete: »Ich habe das gesagt, was ich gesehen habe. Und ich werde es dem Kriminalen auch sagen.«

»Georg, du weißt, dass deine Behauptung uns belastet.«

»Irgendwo hört die Nachbarschaft auf, Waldhoff.«

»Aber Ruth kann es gar nicht gewesen sein, denn unsere Werkstatttür ist seit Tagen vernagelt.«

»Was mit deiner Werkstatttür ist, das weiß ich nicht, aber was ich gesehen habe, das weiß ich. Ich habe doch noch Augen im Kopf. Nur eure Ruth kann es gewesen sein. Wer soll denn sonst über euren Hof laufen?«

»Georg, was tust du uns da an?«

Mehlbaum spuckte in den Rinnstein und ging ein paar Schritte weiter. Dann blieb er wieder stehen und rief halb laut zurück: »Wenn du es ganz genau wissen willst: Der Kräfting, der in der Lehmgrube arbeitet, hat beobachtet, wie Peter und Paul ein Kind bei euch ins Haus gezogen worden ist. Das passt doch alles richtig zusammen, wie?«

»Unsinn, alles Unsinn. Er muss sich irren!«, stieß Waldhoff hervor.

Doch Mehlbaum ging weiter, ohne sich noch einmal umzusehen. Schnell schritt Waldhoff aus. Sigi kam fast ins Laufen, so lange Schritte machte der Vater.

Gleich hinter dem Tor blieben die Häuser zurück. Die Hufschmiede schmiegte sich an die Stadtmauer. Dann führte die Straße bereits durch das flache Land. Das Korn war hoch aufgeschossen in diesem Jahr. In die Gerstenschläge würde bald die Sense fallen. Doch Sigi sah nicht das Gold der reifenden Felder, hörte nicht die Lerche, die wie ein Pfeil in den Himmel schoss und die Sonne grüßte.

»Was soll das alles, Vater?«, fragte er.

»Kind, sie suchen nicht den wirklichen Täter. Sie meinen, sie kennen ihn bereits. Was sie suchen, das ist nur der Beweis dafür, dass sie recht haben. Wenn aber eine ganze Stadt über eine Woche lang fieberhaft herumredet, Vermutungen äußert, tausend ›Vielleicht‹ und ›Wahrscheinlich‹ spinnt, dann findet sich dieser und jener, der irgendwann irgendetwas gesehen hat. Vielleicht hat Herr Kräfting wirklich irgendwann irgendwo gesehen, dass ein Kind ins Haus gezogen worden ist. Das geschieht schließlich jeden Tag ein paarmal in der Stadt. Bei uns hätte es am Peter-und-Pauls-Tag besondere Bedeutung gehabt. ›War es nicht in der Mühlenstraße? Ja, doch. Da war es. Und natürlich, es war ja am Feiertag, als ich aus dem Gasthaus kam. Damals habe ich nicht darauf geachtet. Denn wer behält das schon, wenn er sieht, wie ein Kind ins Haus gezogen wird. Oder war es doch an dem Tage vor Peter und Paul, an dem Sonntag? Nein, das kann nur bei Waldhoff gewesen sein. Der muss es ja gewesen sein. Wie sollte das Kind sonst umgekommen sein . . .?‹

Siehst du, so geht das. Der Mann wartet noch ein, zwei Tage, aber schließlich quält ihn das, was ihm eingefallen ist, so sehr, dass er es beim Bürgermeister meldet. Die Aussage passt. Ja, man hat sie erwartet.« Waldhoff hatte sich in Hitze geredet.

»Aber ein Haus, das auf Lügen gebaut ist, muss doch eines Tages zusammenfallen, Vater. Das sagt jedenfalls unser Lehrer.«

»Vielleicht, Junge. Hoffentlich ersticken wir nicht unter den Trümmern.«

Sie schwiegen. Sigi fühlte die Hand des Vaters auf seiner Schulter. Sie bogen von der Landstraße in den Bauernweg zum Blümerhof ein.

»Lass den Kopf nicht hängen, Sigi. Jeder kann ohne eigene Schuld in den Schlamm gestoßen werden. Aber hinaus müssen wir. Das kostet Kraft und braucht Mut.«

»Ja, Vater.«

»Und der da oben lebt«, Waldhoff reckte seinen Knotenstock in den Himmel, »der schläft nicht.«

Der Hund schlug an. Die Magd schleppte volle Kannen aus der Milchkammer. Ein Gruß wurde gewechselt.

»Der Bauer ist beim Vieh.«

»He, Blümer, wo steckst du?«, rief Waldhoff in den dämmrigen Stall hinein.

Aus den Schweinegattern quietschte und kreischte es. Die Pferde stampften in ihren Boxen. Die Kuhställe waren fast leer. Die Kühe blieben Tag und Nacht auf der Weide. Ein paar Kälber reckten ihre Hälse und hoben die rosigen Schnauzen über den Verschlag. Ein Rind stand angekettet. Waldhoff ging darauf zu. Er schmunzelte. Sigi betrachtete das Tier. Gerade war der Rücken, glatt und wie gestriegelt glänzte das gescheckte Fell. Gutes Vieh hatte er, der Blümer. Der Vater handelte gern mit ihm.

Da trat der Bauer ins Licht.

»Ich habe schon auf dich gewartet. Da ist das Tier.«

Waldhoff strich über das Fell, betastete den Nacken, die Lenden. Unter seiner Hand zuckte das Rind. Schließlich nannte er einen

Preis. Der Bauer forderte zehn Taler mehr. Eine Weile feilschten sie und schlugen sich gegenseitig auf die ausgestreckte Hand. Endlich aber fasste der Bauer die Hand des Viehhändlers. Er schlug ein. Der Kauf war besiegelt. Sigi wunderte sich, wie schnell es heute zur Einigung gekommen war. Sonst dauerte das Hin und Her oft über eine Stunde. Vater nahm den Lederbeutel aus der Tasche und zahlte dem Bauern die Gold- und Silberstücke in die Hand.

Er löste die Kette und reichte Sigi den kurzen Strick. »Ich brauche in vierzehn Tagen wieder ein Rind, Blümer.«

Der Bauer tätschelte dem Tier den Rücken.

»Tja, Waldhoff, das ist wohl nicht mehr zu machen.«

»Was heißt das, Blümer? Du wirst doch Rinder verkaufen?«

»Das wohl, Waldhoff. Aber, versteh mich recht, an dich kann ich nicht mehr verkaufen.«

»An mich nicht?«

»Nein, Waldhoff. Die Nachbarn reden schon, weil ich oft mit dir Geschäfte mache.«

»Ist mein Geld nicht gut? Habe ich dich jemals betrogen?«

»Das hättest du versuchen sollen!«, lachte der Bauer. »Nein, trotzdem nicht. Weißt du, wenn einer die Pest hat, dann soll man sich nicht mit ihm sehen lassen.«

»Was heißt das?«

»Das heißt, was es heißt. Kurzum, ich will nicht, dass die andern am Sonntag im ›Goldenen Apfel‹ von mir abrücken und durch mich hindurchsehen, als wäre ich Luft. Gestern habe ich das schon zu spüren bekommen. Ein paar hingeworfene Bemerkungen, ein Schnaps, den ich dem Gestnerbauern bezahlt habe und den er – ganz zufällig, verstehst du – vergessen hat auszutrinken. Das will ich mir nicht leisten.«

»Aber du kennst mich doch jahrelang, Blümer. Ich bin doch schon mit meinem Vater hierher auf den Hof gekommen, um Vieh zu kaufen.«

»Das weiß ich alles genau wie du. Aber du musst einsehen, dass ich nicht gegen den Strom schwimmen kann.«

»Natürlich nicht«, sagte Waldhoff bitter. »Wer wird sich schon wegen eines Juden in die Nesseln setzen.«

»Ich jedenfalls nicht, Waldhoff. Aber nimm es nicht so schwer. Der

Kriminalkommissar aus Düsseldorf wird es schon machen. Wenn deine Sache sich geregelt hat, dann steht dir der Hof wieder offen.«

»Komm!« Vaters Stimme klang wütend. Sigi trieb das Rind vor sich her. Eilig liefen sie auf die Stadt zu, die in der Morgensonne glänzte.

Als sie über den Wall gingen, nahm Sigi das Tier fest am Strick. Jedes Mal wurden die Rinder bockig, wenn sie sich Kardows Schlachthaus näherten. Ob sie das Blut witterten? Kardow trat aus dem Haus. Er hatte die Schürze vorgebunden.

Das Schlachtmesser zog er über einen Wetzstein und gab ihm den letzten Schliff.

»Guten Morgen, Peter«, grüßte Waldhoff. Er streckte dem Metzger die Hand entgegen. Doch der war so mit dem Messer beschäftigt, dass er das wohl nicht sah.

»Morgen.«

»Ich wollte dir die Kuh bringen. Sieh mal, ein prächtiges Tier.« Kardow schaute kurz auf und brummte: »Na, so gut ist sie wohl nicht.«

Waldhoff, der gerade noch einmal rund um das Tier ging, blieb erstaunt stehen.

»Nicht gut? Peter, wo hast du deine Augen? Sie ist vom Blümerhof.«

»Na, gut. Was soll sie kosten?« Waldhoff nannte den Preis.

Kardow lachte. »Auf keinen Fall, Waldhoff. Auf gar keinen Fall bezahle ich eine solche Summe für das Rind. Ich zahle dir nicht einmal die Hälfte.«

Waldhoff war verwirrt. Er hatte einen ordentlichen Preis genannt. Sicher, um zwei, drei Taler wollte er handeln.

Aber dazuzuzahlen?

»Du irrst dich, Peter. Es ist wirklich ein schönes Tier. Die Hälfte, das kann ich nicht.«

»Gut, dann suche dir in Zukunft einen anderen Metzger. Ich werde mich doch nicht von einem Waldhoff übers Ohr hauen lassen.«

Kardow prüfte sein Messer und strich es über den Daumenballen. Dann drehte er sich um und lief ins Schlachthaus zurück, ein wenig schnell, schien es Sigi.

Einen Augenblick stand Waldhoff starr. Dann tappte er ein paar

Schritte vorwärts, trat in die Tür des Schlachthauses und rief: »Peter, du wirst es dir noch einmal überlegen, nicht?«

Sigi wollte die Kuh nehmen und fortgehen. Er schämte sich. Wie Kardow Vater behandelte! Warum lief Vater ihm nach? »Peter, bitte, ich lasse dir fünf Taler nach. Bitte, nimm mir das Rind ab.«

Sigi rechnete. Er wusste, dass Vater bei diesem Preis keinen Pfennig an der Kuh verdienen konnte.

»Ach, geh fort. Ich hab meine Arbeit. Lass mich in Ruhe«, tönte Kardows Stimme aus dem Haus.

Warum geht Vater nicht endlich?, dachte Sigi.

Doch Waldhoff rang die Hände: »Peter, warum willst du die Kuh nicht? Kennen wir uns nicht von Kindesbeinen an? Habe ich dich jemals betrügen wollen?«

»Ach, Bernd, versteh doch . . .«, sagte Kardow gequält.

»Wenn er es nicht kapiert, dann sag es ihm doch deutlich.« Katrin stellte sich dicht vor Waldhoff auf und schaute ihm dreist ins Gesicht. »Die Leute wollen kein Fleisch, das ein Mörder, vielleicht ein Mörder, uns verkauft. Hast du es jetzt verstanden?«

Sigi rannte davon. An der Ecke zum Ostwall sah er sich um. Da kam Vater. Er hatte das Rind beim Strick gefasst. Er sah aus wie ein alter Mann. Er musste sich auf den Rücken des kräftigen Tieres stützen. Sigi rannte weiter durch das Stadttor in die Felder. Er rannte, bis es in seiner Seite stach und das Herz ihm in den Schläfen pochte. Er warf sich ins Gras und wühlte den Kopf in die Arme.

# 9

*R*uth wartete gegen halb neun auf Gerd. Sie war den Pfad hinaufgelaufen bis zu den drei dicken Buchen auf dem Hügel. Sie war außer Atem, und ihr Herz klopfte spürbar im Hals. Das lag nicht allein an ihrem schnellen Lauf.

Was mag er nur haben, dass er mich hier treffen will?, dachte sie; doch ihr Lächeln verriet, dass sie es längst ahnte. Sie setzte sich auf die Bank. Weit reichte der Blick über die alten Flussarme hin bis zum Strom. Zwei Reiher standen steif im seichten Uferwasser und lauerten auf Beute. Ruth griff in das hohe Kraut, das rings emporschoss, und riss eine Kamillenblüte ab. Vorsichtig zupfte sie die Blütenblätter rund um den gelben Knopf ab und trieb das alte Kinderspiel: »Er liebt mich, er liebt mich nicht, er liebt mich . . .«

»Du lügst«, schimpfte sie halb laut und warf die gerupfte Kamille fort, als es beim letzten Blatt nicht so auskam, wie sie es gehofft hatte. Von der Großen Kirche schlug es halb. Da sah sie ihn den Pfad heraufstürmen. Schnell verbarg sie sich hinter dem Buchenstamm und presste ihren Rock fester an sich, damit er sie nicht verrate. Sie hörte seine Schritte. Die Reiher flogen auf, schwere Schatten im Abendlicht.

Wenn ich die Vögel nicht mehr sehen kann, dann gehe ich zu ihm. Ihr Herz klopfte immer noch wild.

Wie langsam Reiher fliegen, dachte sie. Doch trotz ihrer Ungeduld zwang sie sich zu warten, bis die Ferne die Vögel schließlich zu kleinen dunklen Punkten zusammenschmolz.

Vorsichtig spähte sie hinter dem Baumstamm hervor. Gerd hatte sich auf die Bank gesetzt und kehrte ihr den Rücken. Schritt für Schritt schlich sich Ruth zu ihm. Hoffentlich sieht er sich nicht um, dachte sie, und zugleich wünschte sie, dass er ihre Nähe spüre. Doch er saß da wie ein Holzklotz. Selbst als sie ihm mit den Handflächen die Augen zuhielt und mit verstellter Stimme »Rate, wer ich bin« sagte, rührte er sich kaum.

»Katharine Dreigens.«

Sie stampfte ärgerlich mit dem Fuß auf.

»Hendrina Mall.« Sie ließ ihn frei.

»Du bist gemein.« Sie hockte sich auf die Lehne der Bank.

Er schwieg. Er schien verstimmt.

»Was ist mit dir?«, fragte sie. »Erst machst du es so wichtig, dass wir uns hier draußen treffen, dann sitzt du da wie ein Stockfisch.«

»Ach, Ruth, es gibt nur schlechte Nachrichten.«

»Was für Nachrichten, Gerd?«

»Vater geht es gar nicht gut. Ich muss gleich wieder hinunter. Ich glaube, das ist das Ende.«

»Aber gestern schien es ihm doch besser zu gehen?«

»Ja. Das war gestern. Heute liegt er da und starrt immer nur auf das Kreuz an der Wand. Ob er es wirklich noch sieht, wissen wir nicht. Er spricht nicht, hört nicht, bewegt sich nicht. Sein Atem geht schwer und unregelmäßig. Ich glaube, das ist das Ende.«

Sie nahm seine Hand. »Ich sah am Nachmittag Kaplan Wilbig zu euch gehen. Ich dachte, er wollte deinen Vater besuchen.«

»Es war die Krankensalbung.«

Ich verliere einen Freund, dachte Ruth.

»Das ist noch nicht alles. Die Bäuerin, die gestern ihre Töpfe gebracht hat, war vor einer Stunde in der Schmiede und hat alles zurückverlangt.«

»Zurückverlangt? Das hätte sie sich doch denken können, dass niemand in vierundzwanzig Stunden das ganze Gerät wieder herrichten kann.«

»Es schien mir sogar so, dass sie ganz froh war, dass ich mit ihrem Kram noch nicht begonnen hatte. Sie packte alles zusammen und verschwand ohne Gruß.«

»Was mag sie denn haben?«

»Mutter sagt, das sei erst der Anfang.«

»Was heißt das? Ist deine Arbeit in einem Tag schlecht geworden?«

»Ach, sie redet viel, die Mutter.«

»Aber irgendetwas muss sie sich doch dabei denken, wenn sie sagt, dass das erst der Anfang sei.«

Er zuckte die Achseln. »Schließlich hängt man dir doch nicht an, dass du etwas mit Jean zu schaffen hattest.«

»Das gerade nicht. Aber Mutter meint . . .«

»Ich kann es mir schon denken, was deine Mutter meint.«

Niedergeschlagenheit wuchs in Ruth. Doch sie wollte ihn zwingen, es auszusprechen. »Sicher ist es deswegen, Gerd, weil wir manchmal zusammen sind?«

»Unsinn!« Mit einem harten Ruck zog er sie von der Banklehne herab, dass sie einen Augenblick zu fallen fürchtete. Doch er schwang sie zu sich auf seinen Schoß. Sie stemmte ihm beide Fäuste gegen die Brust.

»Was meint sie denn, was denn?«

»Sie sagt, meine Zeugenaussage gestern beim Kriminalkommissar, die macht mir das Geschäft kaputt.«

»Deine Aussage?«

Ruth befreite sich. Sie standen voreinander.

»Die Leute behaupten, ich sage für deinen Vater aus, weil ich hinter dir her bin.«

»Bist du das denn, Gerd?«

»Das weißt du längst, Ruth.«

»Du hast es mir nie gesagt, und ich bin keine Hellseherin.«

Eine Weile standen sie beieinander. Schließlich sagte sie: »Vielleicht hat deine Mutter recht. Vielleicht mache ich dir wirklich Schwierigkeiten im Geschäft. Wir Waldhoffs sind mit einem Male so etwas wie Unglücksraben für jeden, der mit uns zu tun hat.«

»Ach, hör auf damit. Ich weiß doch, was ich weiß. Komm, ich muss zurück zu Vater.«

»Man wird uns in der Stadt zusammen sehen.«

»Sie sollen mir alle den Buckel herunterrutschen.«

»Spricht so ein Geschäftsmann?«, versuchte sie, ihn zu necken.

»Wenn ich bei dir bin, Ruth, dann ist es mir gleich, was die Leute sagen, auch gleich, ob die Bäuerin ihre Töpfe wegholt oder nicht.«

»Du«, flüsterte Ruth und legte ihm ganz leicht die Arme um den Hals. Der Hauch eines Kusses vibrierte auf seinen Lippen wie ein gefangener Schmetterling in der hohlen Hand. Doch als er Ruth fassen, halten wollte, war sie ihm wieder entschlüpft und sprang lachend den Pfad zur Straße hinab. Er holte sie erst ein, als sie langsamer ging. Leute kamen ihnen entgegen.

Sie schritten ganz dicht nebeneinander. Ihre Schultern, ihre Hüften berührten sich. Er fasste ihre Hand fest. Es sauste ihr ein wenig in den Ohren.

Vom schnellen Laufen, dachte sie, doch sie wusste, dass es etwas anderes war. Nur fürchtete sie, es sich einzugestehen, denn wie leicht ist der flüchtige Vogel Glück fortgeflogen.

Als sie in die Mühlenstraße einbogen, flatterte er schon davon. Frau

Märzenich band den schwarzen Trauerflor an die Haustür. Gerd stürzte vorwärts, als wolle er noch erreichen, was kein Mensch mehr einzufangen vermag.

Ruth überwand die Scheu davor, ein Haus zu betreten, in dem ein Toter lag. Sie wollte Gerd nicht allein lassen. Doch Frau Märzenich verwehrte ihr die Tür.

»Hast du ihm schon die letzte Stunde seines Vaters gestohlen, dann lass ihn wenigstens jetzt«, zischte sie ihr entgegen.

Ruth konnte ihrem kalten Blick nicht widerstehen. Sie floh nach Haus. Im hinteren Wohnzimmer brannte noch Licht. Der Schimmer fiel unter der Türritze hindurch. Sie steckte den Kopf ins Zimmer, sagte: »Gute Nacht!«, und wollte in die Kammer huschen.

»Komm herein, Tochter«, befahl die Mutter. Ihre Stimme klang erstickt, traurig.

Da sah Ruth ihn. Er lag auf dem Boden, die Glieder weit von sich gestreckt. »Was ist mit Vater, Mutter, was ist?«

»Komm, hilf mir, wir wollen ihn auf die Bank legen. Er ist schwer. Ich schaffe es nicht allein.«

Ruth beugte sich über den Vater. Sein Mund stand offen. Der Atem kam stoßweise aus seiner Brust. Sie fuhr zurück. Er war betrunken, sinnlos betrunken. Ruth schaute Mutter an und fragte nichts mehr.

Sie schleppten den schlaffen Körper auf die Bank. Mutter deckte ihn sorgsam mit der schweren braunen Decke zu.

In diesen Minuten hasste Ruth ihren Vater. Ein Metzger. Ein Säufer. Er schafft es nicht, unser Haus zu schützen, dachte sie.

»Sie hetzen ihn«, sagte Mutter leise, als ob sie die Gedanken der Tochter lesen könne. »Er macht so vieles falsch in diesen Tagen, weil sie ihn hetzen. Vor einer Stunde haben Deichsels ein Lämmchen zurückgeschickt. Es war nicht richtig geschlachtet. Seine Hand war früher so sicher. Er hat es falsch geschlachtet. Es war nicht richtig ausgeblutet. Er macht so vieles falsch.«

»Warum, Mutter, bin gerade ich eine Jüdin?«

Die Mutter hätte viele Antworten geben können, aber sie wusste auch, dass es für Ruth keine gute Antwort gab in dieser Stunde. Deshalb schwieg sie und begnügte sich damit, dem Mädchen das Haar behutsam aus dem Gesicht zu streichen.

# 10

*D*arf ich in der Nacht mit zum Schapendyck?«, fragte Sigi. »Karl und Herr Ulpius wollen Aale fangen.«

Die Mutter blickte zu ihm herüber, doch schien es dem Jungen, als sehe sie durch ihn hindurch. Ganz allmählich nur löste sich der Bann aus ihren Augen. Sigis Frage war längst verklungen, als sie schließlich in das Bewusstsein der Mutter drang. Doch noch bevor sie sich vergewisserte, ob er auch seine Arbeiten verrichtet habe, kannte er bereits ihre Antwort. Nichts schlug sie ihm in diesen Tagen ab. Ihre Nachgiebigkeit machte Sigi unsicher.

»Geh nur, Sigi, geh. Aber denk an die Decke. Die Nächte haben kalte Morgen.«

»Ja, Mutter.«

Er betrat die Werkstatt. Auf den Haken an der Längswand dicht unter der Decke lagen die Ruten. Er wählte die längsten aus und überprüfte Schnüre und Schwimmer. Ein Dutzend mittelgroße Haken spießte er in einen Flaschenkorken und griff nach dem fein geflochtenen Weidenkorb. Der war groß und bauchig. Es heißt von solchen Körben, dass jeder Fischer in zehn Jahren nur einmal das Glück hat, ihn über die Hälfte zu füllen. Trotzdem nahm Sigi ihn stets mit, wenn er zum Aalfang ging. »Man kann nie wissen«, sagte er, wenn Herr Ulpius ihn neckte. Auch sein Messer vergaß er nicht. Das Klappmesser mit echten Hirschhorngriffen hatte Onkel Mendel ihm geschenkt. Von allen Jungen aus der Klasse wurde er um dieses Messer beneidet.

Griffbereit stand bald seine ganze Ausrüstung für die Nacht fertig. Mutter hatte ihm einige gelbe Äpfel zugesteckt. Das wunderte ihn. Zwar mochte er gerade diese Apfelsorte besonders gern, aber in anderen Jahren durfte der Vorrat nicht vor dem ersten Schnee angeknabbert werden.

Mit seinen Gedanken bereits am Wasser, saß er beim Abendbrot.

»Pass auf dich auf«, sagte Mutter, als er sich erhob.

»Ja, Mutter.«

Sie half ihm, den Rucksack zu schultern, und reichte ihm den Korb.

»Danke, Mutter«, sagte er, als er das Haus verließ. Es kam ihm auf dem Weg zu Ulpius in den Sinn, dass er sich schon sehr, sehr lange nicht mehr bei Mutter bedankt hatte.

Für sieben Uhr hatten sie sich abgesprochen. Sigi war zu früh aufgebrochen. Die Uhr der Großen Kirche zeigte nur wenig über halb, als er in die Brockstraße einbog. Die Ruten wippten auf der Schulter im Takt der Schritte. Er brauchte sie nicht zu halten.

Hoffentlich beißen die Aale. Der Mond wird erst nach Mitternacht aufgehen. Warm ist es und dunstig. Beißwetter eben. Aber Aale sind mal so, mal so.

»He, du!«

Sigi schrak auf. Er hatte die Fahrräder nicht gehört. Auf einmal bremsten sie neben ihm. Sechs, sieben.

»Ja?«

Ein Bursche hielt und stellte einen Fuß auf die Erde. Die anderen Räder rollten ganz langsam vorbei.

»Wir suchen das Judenhaus.«

Sigi griff nach den Ruten. Beinahe wären sie auf das Pflaster gesprungen. Er blickte dem Burschen ins Gesicht. Nie zuvor hatte er ihn gesehen. Er wohnte nicht in dieser Stadt. Langsam ging Sigi weiter.

»Hier leben viele Juden«, antwortete er kurz angebunden. Erregung klang in seiner Stimme.

Der Radfahrer stieß sich mit dem Fuß ab und schwang sich wieder neben Sigi.

»Stell dich nicht so dumm. Wir wollen uns das Haus von diesem Waldberg oder so ähnlich ansehen.«

»Waldberg? Kenne ich nicht.« Sigi ging entschlossen weiter.

»Blödmann«, schimpfte der Radfahrer hinter ihm drein. Vor Ulpius' Haus schaute Sigi zurück. Die Burschen standen bei Peter Bosshage aus seiner Klasse. Er sah, wie er ihnen den Weg erklärte. Peter blickte zu Sigi herüber und erkannte ihn. »Sie wollen zu euch!«, schrie er.

Einen Augenblick waren die Burschen verblüfft. Dann drohte einer: »Wart nur, das zahlen wir dir aus.«

Sigi rannte in den Hof, stellte die Ruten in den Stall und ging in die Stube.

»Gut, dass du schon da bist«, begrüßte ihn Karl. »Wir können gleich losgehen.«

Sigi reichte Herrn Ulpius die Hand.

»Ihr seid ja ganz wild«, neckte er die Jungen.

Sigi hörte nur halb zu. Die Radfahrer wollten ihm nicht aus dem Kopf. Was hatten sie vor? Wollten sie Mutter und Ruth ärgern? Oder waren sie zu Schlimmerem gekommen?

»Ich glaube, ich muss eben noch einmal nach Hause«, sagte er.

Zugleich befiel ihn Angst, den Burschen noch einmal zu begegnen.

»Hast du etwas vergessen?«, fragte Karl.

»Nein, nur . . .« Sigi zögerte, aber erzählte dann hastig, was er auf dem Herweg erlebt hatte.

Herr Ulpius paffte ein paar dicke Wolken aus der Pfeife, erhob sich schließlich und sagte: »Tragt ihr zwei das Angelzeug in den Hof. Vergesst nichts. Ich will selbst mal nach dem Rechten sehen.«

Sigi atmete auf.

Längst hatten sie Stöcke, Eimer, Körbe, Decken in den Hof getragen, als endlich Herr Ulpius zurückkam. »Es ist alles in Ordnung«, beruhigte er die Jungen. »Los, jetzt wird es für uns Zeit.« Unwirsch wehrte er Karl ab, der mehr erfahren wollte. Sie liefen los. Frau Ulpius rief ihnen nach: »Aber kommt mir nicht ohne Aale nach Hause!« Und dann, als sie ihre Stimme schon beinahe nicht mehr verstehen konnten, klang noch das »Petri Heil!« herüber.

Herr Ulpius drehte sich um, lachte und winkte und Karl schrie: »Petri Dank!«

Noch stand die Sonne über den Bäumen, als sie am toten Arm des Flusses die Angelplätze aussuchten. Sigi wählte eine freie Bucht. Karl gesellte sich zu ihm. Herr Ulpius ging einen Steinwurf weiter. Dort war eine gute Stelle. Das wussten die Jungen. Aber ein paar Weiden streckten ihre Äste bis ans Ufer. Leicht verfingen sich die Schnüre in den Ästen. Nachts waren sie dann kaum heil wieder zu bergen. Nur ein sehr geschickter oder ein sehr dummer Angler wird im Dunkeln an einem solchen Platz die Schnüre auswerfen.

Sigi köderte die eine Angel mit einem Tauwurm. Er suchte einen kleinen heraus, denn die dicken wollte er für die Nacht aufsparen. Erst dann beißen die Aale richtig. Solange es hell ist, gehen an den Köder zu oft Barsche. Die sind manchmal kürzer als der Wurm, den sie fressen wollen.

An die andere Angel band er einen kleinen Haken und schob ein winziges Stückchen gekochte Kartoffel auf die Spitze. Ähnlich machte es auch Karl. Nur schwor er auf einen kunstvoll zubereiteten Teig aus Zwiebackkrümeln, Mehl und sieben Körnchen Zucker, fein geknetet und gemischt und mit einem Fingerhut voll Milch geschmeidig gemacht. Hastig waren die Bewegungen der Jungen. Es schien so, als ginge es um Sekunden.

Dann sirrten die Schnüre durch die Luft, die Köder sanken, die Schwimmer richteten sich zögernd auf.

»Wenn ihr Brassen fangt, gehen wir vielleicht später zu den Aposteln hinüber«, sagte Herr Ulpius.

»Fein«, freute sich Karl.

»Zuerst müssen wir die Fische haben, bevor wir sie bei den Aposteln braten können«, sagte Sigi.

Da zuckte sein Schwimmer, versank jedoch nicht, sondern legte sich ein wenig auf die Seite.

»Mensch, Karl, sieh mal«, rief Sigi leise, ohne jedoch auch nur einen Blick von seinem Schwimmer zu nehmen.

»Da ist ja der Erste«, antwortete Karl.

Sigi wusste, dass die Brassen so beißen. Er wusste es noch genauer. Die großen Brassen beißen so. Die kleinen zuckeln den Schwimmer unter die Oberfläche. Aber er wagte nicht, an einen großen Fisch zu denken, nicht, bevor er ihn am Haken spürte. Die Gedanken könnten den Fisch warnen.

Jetzt legte sich der Schwimmer flach auf das Wasser. Sigi schlug an. Die straffe Schnur und die zuckende Rutenspitze machten ihn sicher: ein Brassen.

Sigi zog den Fisch in die Ufernähe und trat ein wenig vom Wasser zurück.

Karl war hinzugesprungen und zog den Kescher von unten her über den Fisch.

»Für mich reicht es schon, Onkel Ulpius!«, schrie Sigi fröhlich über das Wasser.

»Wie groß?«

»Zwei von der Sorte passen höchstens in die Pfanne«, antwortete Karl.

»Es fängt gut an.« Karl kehrte wieder zu seiner Angel zurück. Sigi tötete den Fisch. Die blanke Klinge stieß er ihm hinter die Kiemen.

»Leihst du mir dein Messer, wenn ich etwas fange?«

»Klar.«

»Ich habe mir zu Weihnachten auch eines gewünscht, eines mit echten Hirschhorngriffen.«

Noch hatte Sigi die Angel nicht wieder geködert, da probierte ein Fisch Karls Wunderteig.

Nach einer halben Stunde war der Ausflug zu den Aposteln gesichert. Sigi hatte zwei Brassen gefangen und Karl vier. Nur Herr Ulpius war leer ausgegangen.

»Du darfst bei mir mithalten«, bot Karl dem Vater großzügig an.

Die Schatten waren lang geworden. Rotes Licht spielte auf kleinen Kräuselwellen. Bald müssten die Aale sich melden. Reiher schwangen sich auf und strebten ihrer Kolonie im Lotzenwald zu. Saatkrähen ruderten durch die Luft und schrien. Aber erst als der Schatten der Eule lautlos und schnell vorüberglitt, plätscherte es drüben bei Herrn Ulpius.

»Der erste Aal«, tönte es herüber.

Die Jungen hatten die Schwimmer längst von den Schnüren genommen. Dicke Tauwürmer lagen auf dem Grund. An den dünnen Rutenspitzen, die wie schwarze Nadeln in den Nachthimmel stachen, musste man erkennen, ob der Aal biss. Und wie er biss! Diesmal hielt er sich an die Regeln. Immer wieder zitterten die Spitzen. Die Jungen neigten die Ruten bis zum Wasserspiegel. Der Aal lief, die Schnur wurde straff. Dann schlugen die Jungen an, und in einem Zug brachten sie den Schlangenfisch ans Ufer. Er wand sich, wehrte sich. Aber geschickt griffen sie ihn mit einem Leinenlappen und lösten den Haken. Das war oft schwierig, denn gierig hatte mancher Fisch das Eisen verschlungen und tief verschluckt. Es bewährte sich, dass Sigi neue Haken und Korken nehmen konnte. Der Boden seines Korbes, den er in das seichte Uferwasser gestellt hatte, war bedeckt.

Ein gutes Dutzend Aale lag dort beieinander, darunter zwei, die sich sehen lassen konnten.

Plötzlich war es vorbei. Sigi merkte, dass er in Schweiß geraten war.

»Sie beißen nicht mehr so toll«, klang es herüber.

»Nicht toll, das ist untertrieben. Sie beißen bei mir überhaupt nicht mehr.«

Sigi prüfte die Köder. Daran konnte es nicht liegen. Er warf die Schnüre wieder ins Wasser. Karl kam herüber.

»Ganz gut gefangen heute, nicht?«

»Ja. Aber es passen noch mehr in meinen Korb.«

»Schon. Na, vielleicht schnappen sie noch einmal zu.«

Sigi schaute in den Himmel. Kein Stern war zu sehen.

»Schwarzer Samt«, sagte er.

»Es bleibt schön, wenn es so dunstig ist.«

»Schwarzer Samt.«

»Es wird bald ein Uhr sein, was, Sigi?«

»Wunderbar weicher Samt.«

»Hör auf zu spinnen. Bald wird der Mond aufgehen.«

»Goldbrosche auf schwarzem Samt.«

»Dann ist es mit den Aalen bestimmt ganz vorbei.«

»Ist es nicht herrlich, hier in der warmen Nacht zu liegen, Karl? So müsste es immer sein. Keiner sieht dich. Du liegst und träumst, hast keine Angst und bist zufrieden; ganz zufrieden, weißt du.«

»Huhuu«, heulte Karl mit tiefer Stimme, »schwaarzer Saamt.«

Doch Sigi machte sich nichts aus Karls Neckereien.

Ein Ast brach.

»Dein Vater.«

Sie hörten seine Schritte bald deutlicher.

»Es war gut heut Nacht, wie?«

»Ja, Vater. Es scheint vorbei zu sein.«

»Das weiß man nie. Ich will zu den Aposteln hinüber. Wollt ihr mit?«

»Was meinst du, Sigi?«

»Ich möchte lieber noch ein wenig hierbleiben.«

»Gut. Bleibt. Ihr findet den Weg leicht. Wenn der Mond kommt, geht schnurstracks auf die Eiche überm Damm zu.«

»Ja, Vater. Nimmst du die Brassen schon mit?«

»Nein, die tragt ihr nur. Ich habe einen Schoppen Klaren. Den will ich mit den Männern dort trinken.«

Er ging.

»Wenn der Mond da ist, kommen wir nach.«

»Gut, aber schlaft nicht ein.«

Die Jungen hätten gleich mitgehen können. Aale schien es nicht mehr in diesem Wasser zu geben. Einmal noch schlug Sigis Rutenspitze aus, doch er zog nur einen dünnen Fisch ans Ufer.

»Schnürriemen«, sagte er, löste ihn vom Haken, lockerte den harten Griff ein wenig und ließ den Aal ins Wasser zurückgleiten.

»Komm in zwei Jahren wieder.«

Rötlich stieg die Mondscheibe aus dem Wasser, matt glänzte sie auf.

»Jetzt ist es ganz vorbei. Lass uns gehen.«

Sigi war einverstanden. Sie rollten die Schnüre um die Ruten, legten die Angeln ins Gras und machten sich auf den Weg. Schwarz ragte die Eiche über den Damm hinaus. Sie wies ihnen die Richtung. Über Zäune stiegen sie geradewegs auf den Baum zu. Träge wichen ein paar Kühe zur Seite, ein Junghase hoppelte vor ihnen her, zutraulich, denn die Hasenjagd war noch nicht auf und noch waren ihm keine Schrotkugeln um den Schnurrbart gepfiffen. Plötzlich blieb Karl stehen.

»Die Fische! Wir haben die Brassen vergessen.«

»Ach, pfeif was auf die Brassen. Ich geh nicht mehr zurück.«

»Weil du nur zwei gefangen hast, wie?«

»Blöd. Ich bin zu faul. Da drüben liegt Schapendyck schon.«

»Mach es, wie du willst. Ich hole die Fische jedenfalls.«

Karl kehrte um. Sigi ging weiter. Bald war Karl verschwunden. Kurze Zeit hörte man noch seine Schritte, dann das Quietschen des Drahtes, als er über den Zaun kletterte. Endlich blieb es still.

Allein war es zwischen den Wassern unheimlich. Die Weidenknorren nahmen Fabelgestalten an, große Wesen mit aufgerecktem Arm, geduckte Tiere, sprungbereit, Schattenbilder. Glitzernde Wasserflächen spiegelten den Mond. Sigi beschleunigte seinen Schritt. »Der Knabe im Moor« fiel ihm ein, den Lehrer Coudenhoven mit seiner Stimme so in die Klasse gezaubert hatte, dass ihm eine Gänsehaut über den Rücken gelaufen war. Und die spürte er auch jetzt. »Schaurig ist's, übers Moor zu gehen . . .« Er rannte. Da, vor ihm der Deich. Er keuchte die steile Böschung hinauf. Die Nachtgestalten zerflossen.

Breit öffnete sich das Strombett vor seinem Blick. Unterm Ufer lag die Fee, die Salmwippe der zwölf Apostel, jenes klug ausgesonnene Salmfangschiff, dem die Männer ihren Wohlstand verdankten.

Sigi blieb auf der Deichkuppe stehen. Die Rufe der arbeitenden Fischer schallten herüber. Gerade zogen sie an mächtigen Balken mit einem Schwung das Netz hoch, ein großes Netz. An der Längsseite war es an vier Wippbalken aufgehängt wie ein vierfacher Ziehbrunnen. An der anderen Seite der Balken half das Gewicht schwerer Kiesel, das Netz zu heben. Trotzdem mussten die Männer hart zupacken, sooft sie das Netz hochhievten. Es sollte aus dem Wasser schnellen, denn die flinken Salme durften nicht entkommen. Eine Weile horchte Sigi zur Fee hinüber. Hatten sie Glück bei diesem Zug? Nur ab und zu drang ein Kommando halb laut herüber. Schon senkten sich die Balkenenden wieder. Er ging auf Schapendyck zu. Die feste Steinhütte diente den Aposteln als Unterschlupf. Tief reichte das Schilfdach herunter. Aus der Giebelspitze stieg Rauch.

Sechs Fischer schliefen, ruhten, aßen hier. Nach sechs Stunden machten die Männer von der Fee Feierabend, und die aus der Hütte gingen an die Arbeit. Fünf Tage lang kamen sie kaum vom Strom weg. Die Frauen sahen jeden Morgen herein und fragten nach Fisch. Sie empfingen die Beute und verkauften sie. Der Gewinn wurde durch zwölf geteilt.

Sigi näherte sich der Brettertür. Sie stand einen Spalt weit offen in dieser Nacht. Schon wollte er sie ganz aufstoßen, da hielt ihn ein Wort zurück.

»Räuchert sie aus, diese Juden. Mistet den Stall aus.«

War das nicht Herr Ulpius?

Sigi war verwirrt. Herr Ulpius redete doch sonst ganz anders. Aber er irrte sich nicht. Schon ging es weiter:

»Dieses Pack ist der Ruin unseres Volkes. Es lebt von der Arbeit anderer. Wer kennt schon einen jüdischen Handwerker oder Arbeiter der Faust? Das Weltjudentum ist eine große Gefahr für unser Volk.«

Sigi wollte weglaufen. Was war in Herrn Ulpius gefahren? Wandten sich denn alle gegen ihn? Konnte er keinem mehr trauen? Wieder klang Herrn Ulpius' Stimme auf: »Seht ihr, so steht es in dieser Zeitung schwarz auf weiß.«

»Und die hast du den jungen Burschen abgenommen?«

»Sie haben sie mir gegeben, als ich sie fragte, was sie hier in unserer Stadt wollten.«

Plötzlich wurde Sigi der Zusammenhang klar. Er atmete auf. Herr Ulpius hatte nur einen Abschnitt aus einer dieser verlogenen Zeitungen vorgelesen, wie sie Vater auch schon mitgebracht und gezeigt hatte. »Was haben sie denn gesagt? Was wollen sie?«

»Sie wollten sich das Haus mal ansehen, meinte der Anführer. ›Warum?‹, frage ich. ›Haus ist doch Haus!‹

›Vielleicht stecken wir es gelegentlich in Brand‹, hatte da der Bursche gelacht.

Ich habe ihnen erklärt, dass Waldhoff ein redlicher Mann ist, ein Bürger unter Bürgern, der sogar 70/71 das Eiserne Kreuz zweiter Klasse bekommen hat, als er bei den Grenadieren im Feld gewesen ist. Das hat ihnen offenbar imponiert, denn sie sind endlich auf ihre Räder gestiegen und weggefahren. ›Aber den Judenbengel, den kaufen wir uns, der hat uns an der Nase herumgeführt‹, riefen sie mir noch zu. Weil Sigi mit mir zum Angeln wollte, habe ich nur darüber gelacht.«

»Es ist weit gekommen mit unserer Stadt«, brummte ein Fischer. »Überall werden wir durch den Schmutz gezogen.«

»Eins stimmt ja, was in der Zeitung steht. Juden, die wirklich arbeiten, die sind selten.« Sigi erkannte an der Stimme Klas, den die Männer erst im vorigen Jahr in die Schar der zwölf aufgenommen hatten.

»Das ist dummes Zeug, Junge.«

»Nein, Herr Ulpius. Wie ist es denn in unserer Stadt? Alle Juden hier sind Viehhändler. Nur Herr Pfingsten hat noch einen Stoffhandel dazu. Dabei macht man sich die Hände nicht dreckig.«

»Abgesehen davon, dass der Viehhandel ein ehrliches Geschäft ist und auch der Stoffhandel seine Arbeit verlangt . . .« Weiter kam Herr Ulpius nicht. Diesmal unterbrach ihn Willem, einer, der sonst kaum die Zähne auseinanderbekam.

»Ehrliches Geschäft! Dass ich nicht lache! Hast du denn nicht davon gehört, wie der Jud Sammy Deichsel vom Gertnerbauern eine kranke Kuh für einen Appel und ein Ei bekommen hat und für harte Taler weiterverkaufte?«

»Jawoll!« – »So sind sie alle!« – »Spitzbuben und Tagediebe!«, schallte es durcheinander.

»Alle?«, fragte Ulpius. »Und der Jude Kirschenstein, der euch die Figur abgekauft hat? Hat er euch nicht mehr geboten als alle anderen, die euch schöngeredet haben und euch weismachen wollten, das sei doch irgendein Stück Bronze, nicht viel wert, eigentlich seien fünfhundert Silbermark schon viel zu viel?«

»Das stimmt«, sagte Justus. »Er hat uns als Erster gesagt, was wir damals für ein Goldstück im Netz gehabt haben. Ich erinnere mich noch genau, wie er bei uns auf der Deele rund um das Bronzemädchen geschritten ist, seine Augen glänzten, immer wieder strich er sich den Bart und murmelte: ›Ein römisches Mädchen, hier aus der Ansiedlung, fast zweitausend Jahre alt, wunderbar.‹ Dann hat er sich an mich gewandt und gesagt: ›Ich weiß, dass sie euch fünfhundert Mark dafür geben wollen. Ich weiß, dass ich sie für sechshundert haben könnte. Aber ich sage es euch frank heraus: Sie ist viel, viel mehr wert. Ich gebe euch für jedes Jahr einen Taler, sechstausend runde Mark. Und wenn es mich ruiniert, ich will das Mädchen für mich. Jederzeit könnte ich sie wieder loswerden.‹

Wir fielen aus allen Wolken. Sechstausend Mark!«

Sigi hatte sich jetzt wieder gefasst und spähte durch den Türspalt.

Versonnen blickten die Männer in das Feuer. In ihren Gesichtern sah er die Erinnerung an den größten Fang, der ihnen je ins Netz geschwommen war.

Doch Willem blieb beharrlich. »Und was ist mit Sammy Deichsel?«

Ulpius antwortete gelassen: »Willem, niemand behauptet, dass die Juden alle gute Kerle sind. Überhaupt: Die Juden betrügen, die Polen sind Dreckschweine, die Französinnen sind leichtfertig, die Amerikaner sind oberflächlich, die Italiener sind ein faules Pack – was ist das alles für ein Unsinn! Ich kenne den Deichsel und denke, er ist nicht ehrlich. Ich kenne den Waldhoff und ich weiß, er ist ein anständiger Mann. Es geht nicht an, dass wir jeden Juden an jüdischen Schiebern messen, in jedem anderen Deutschen aber Goethe oder den Erzengel Michael sehen.«

»Aber die Zeitung hat recht, keiner von diesen Juden, ob nun ehrlich oder nicht, verdient sich das Brot mit den Händen, keiner ist etwa Bauer oder Schmied.«

»Richtig, Willem. Aber warum sind die Juden Händler, warum arbeiten viele im Bankgewerbe, warum haben sie mit der Kunst, mit dem Theater zu tun? Warum gibt es so viele bedeutende jüdische Wissenschaftler? Hast du dich das je gefragt?«

»Na ja, da ist eben Geld zu machen. Das liegt ihnen im Blut. Geld und Jud, das gehört zusammen.«

»Nein, Willem. Das ist aus einem ganz anderen Grunde so. Die Christen gerade sind es gewesen, die den Juden hier im Mittelalter jeden Zugang zu einem Handwerk versperrt haben. In ihre christlichen Zünfte durfte kein Jude aufgenommen werden, es sei denn, der hätte unseren Glauben angenommen. Wer aber nicht in der Zunft war, der konnte und durfte kein Handwerk ausüben. Auch Landbesitz war ihnen verboten. Nicht einmal hundert Jahre ist es her, dass die Juden die gleichen Rechte wie wir bekamen.«

»Und das Geld? Wie kommen sie an ihr Geld?«

»Längst nicht alle sind reich. Denk doch an den alten Parnitzki. Der weiß doch heute nicht, wie er seine Kinder morgen satt kriegen soll. Aber auch die Geldgeschäfte haben eine Wurzel. Den Christen war es nämlich verboten, gegen Zinsen Geld auszuleihen. Eine Sünde scheuten viele, aber ohne Zins Geld zu verleihen, das ist nicht jedermanns Sache, zumal das Risiko früher sehr groß war. Die Juden, die waren an solch ein Kirchengebot nicht gebunden. Sie liehen und verliehen und bekamen die Zinsen.«

»Wucherzinsen!«

»Ja, manche nahmen auch Wucherzinsen. Es gibt eben zu allen Zeiten und in allen Völkern Anständige und Halunken, Diebe leben neben den Ehrlichen. Unkraut wächst unter dem Weizen.«

»Wenn man es genau nimmt«, brummte Justus, »dann ist sogar in jedem Menschen ein bisschen von all dem.«

»Aber was reden wir hier so klug daher, Männer«, sagte schließlich Herr Ulpius. »Hier ist die Flasche, nehmt einen Schluck.«

Sigi schlich sich leise von der Tür weg und dachte: Ich gehe Karl ein Stück entgegen. Wo er wohl bleibt? Eigentlich müsste er längst wieder hier sein.

Die Mondscheibe war klar und gelb in den Himmel gestiegen. Lange brauchte Sigi nicht zu warten, da sah er Karls Schattengestalt auf der Dammkrone.

»Hierher, Karl, hierher.«

Karl kam auf Sigi zu.

»Gut, dass du auf mich gewartet hast, Sigi. Es wird einem doch ein bisschen anders, wenn man in der Nacht allein durch die Wiesen geht.«

Sie erreichten Schapendyck und öffneten die Tür.

»Da seid ihr ja, Jungens«, rief Klas. »Ich hoffe, ihr bringt Nachschub.« Er schwenkte die leere Schnapsflasche in der Hand.

»Du kriegst den Hals nicht voll«, schnauzte Willem. »In ein paar Stunden musst du einen klaren Kopf haben, wenn du den Salm überlisten willst.«

»Klas verträgt einen ganzen Stiebel voll«, sagte Justus.

»Schnaps haben wir keinen, aber Fische.« Karl hielt die Brassen hoch. Er hatte ihnen einen Weidenzweig durch die Kiemen gesteckt und zu einem Ring gebogen.

Die Männer lachten ihn aus.

»Fische! Ich höre immer nur Fische«, rief Klas. »Wie viel Fisch willst du von uns haben? Wir haben mehr Fisch, als du in einer Woche essen kannst. Aber Schnaps haben wir keinen Tropfen mehr.«

»Hör auf mit deinem Schnaps«, sagte Willem scharf. Er war der älteste der Apostel. Alle scheuten es, wenn er sie tadelte. Klas tat seinen Mund nicht mehr auf.

»Ihr wollt die Brassen gebraten haben, Jungs, oder?«

»Ja, Onkel Willem.«

»Da habt ihr ein Messer. Macht sie draußen sauber.«

»Ich habe selber eines mit echtem Hirschhorngriff.«

Als die Jungen wieder eintraten, da hatte Willem bereits die zerbeulte Pfanne über das Feuer gestellt, zwei Brassen platschten hinein und bald durchzog der Duft des Bratfisches den ganzen Raum.

»Erzählt doch mal was«, bettelte Sigi.

»Was sollen wir denn erzählen?«

»Vielleicht die Geschichten vom Schwanenritter«, bat Karl.

»Ich möchte gern mal hören, wie das eigentlich war, als ihr die Rheinfrau aus dem Fluss gezogen habt«, sagte Sigi. Herr Ulpius blickte zu Sigi hinüber. Hatte der Junge von ihrer Unterhaltung etwas gehört?

Willem war immer bereit, diese Geschichte zum Besten zu geben. Mit einem Zahnstocher porkelte er zwischen den Zähnen. Ohne mit dieser Beschäftigung aufzuhören, begann er:

»Es war vor sieben Jahren um diese Jahreszeit. Der Sommer war nass gewesen, und das Getreide faulte auf dem Halm. Der Rhein hatte mächtig viel Wasser. Lehmig und braun blieb es, wie es sonst nur im Frühjahr und beim Adventshochwasser ist. Wir waren mit unserem Fang in dem Jahr sehr unzufrieden. Salme hatten wir sage und schreibe erst zwei Stück gefangen. Sicher, der eine der beiden war ein ganz großer und wog an die 90 Pfund, aber was ist das für die ganze Mannschaft? Das magere Ergebnis hatte uns missmutig und streitsüchtig gemacht. Ja, es war so weit, dass Hein Terstep aussteigen wollte. Er erwog, sich als Ziegeleiarbeiter sein Geld zu verdienen.

Da, in der Nacht zum Fest Mariä Himmelfahrt, da spürten wir beim dritten Zug, dass das Netz endlich gefüllt und schwer war. Lachse? Kamen sie endlich? Ihr könnt euch unsere Enttäuschung kaum vorstellen, als wir im Netz statt der zappelnden Fischleiber irgendein schweres Stück eines Baumstammes zu entdecken glaubten.

Justus wollte es mit der Stange ins Wasser stoßen, aber es schien sich verfangen zu haben. Wollten wir die Maschen nicht zerreißen, mussten wir vorsichtiger zu Werke gehen. Justus kletterte auf den Rand der Fee. Hein hielt seinen Arm, damit er sich weit hinausbeugen konnte. Plötzlich fuhr er wie vom Krebs gebissen zurück, sprang von der Bordkante, starrte uns mit irren Augen an und stammelte: ›Die Flussfrau! Wir haben die Flussfrau im Netz!‹

Als ob der Himmel sein Wort bestätigen wollte, riss die Wolkendecke. Im Mondlicht sahen wir es alle: Grün, über und über mit Algen überzogen, lag ein Mädchen im Netz, wie ein Mensch so groß, wohl geformt von Kopf bis Fuß. Uns gruselte. Franz Strokken hatte zuerst wieder einen klaren Kopf.

›Habt ihr schon mal von einer Flussfrau ohne Fischschwanz gehört?‹, knurrte er, schwang sich an Justus' Platz auf die Holzplanke und griff nach dem Wesen.

›Kalt wie Eisen‹, rief er und setzte erbittert hinzu: ›Sie zerfetzt uns das Netz noch, die Flussfrau.‹ Behutsam löste er den Fang aus den Maschen.

›Ins Wasser mit ihr‹, sagte Hein, wütend über die verlorene Fangzeit. Ich sah mir die Statue genau an und sagte: ›Ins Wasser? Dir ist wohl nicht gut? Wenn mich nicht alles täuscht, dann ist diese Dame aus purer Bronze.‹

›Willst du deinen Kindern etwa Bronze statt Fisch vorsetzen?‹, rief Hein erbittert.

›Bronze ist so gut wie bares Geld, du Schafskopf‹, klärte Justus ihn auf.

Wir dachten daran, die Figur als Schrott zu verkaufen. Schwer genug war sie ja. Nun, ihr wisst alle, wie es weiterging. Zweitausend Taler haben wir dafür bekommen und uns ein großes Stück Land kaufen können.«

»Ja, ja, sie hat uns Glück gebracht, die Rheinfrau. Sechs fette Ernten hat das Land seitdem getragen. Es ist so, als ob sie sich bedanken wollte, dass wir sie nach zweitausend Jahren aus dem Bad gefischt haben, in das sie damals gestiegen ist.«

»Weiß man denn, woher sie stammt?«, fragte Karl.

»Ziemlich genau«, antwortete sein Vater. »Sie stand vermutlich als Schmuck in einem römischen Landhaus zur Zeit der Kaiser. Bei einem Überfall der Germanen, die damals die Grenze der Römer am Rhein arg bedrängten, ist sie wohl im Getümmel als Beutestück in einen Kahn getragen worden. Der ist nicht weit vom Ufer umgeschlagen, und sie ist im Sand versunken. Erst das hohe Wasser vor sieben Jahren hat sie wieder frei gespült und ins Netz gestoßen.«

Sie schwiegen.

Die Männer hockten am verglimmenden Feuer. Den Fischern fielen die Augen zu. Sie streckten die Glieder. Sigi schaute in die Glut. Karl tuschelte leise mit seinem Vater. Ruhig gingen die Atemzüge der Schläfer. Das sind schon ganze Männer, dachte Sigi und schaute in ihre Gesichter. Jung und blank war das von Klas, zerfurcht, gegerbt, mager das von Justus. Immer tiefer sank die Glut in sich zusammen, und kleiner und kleiner wurde der Lichtkreis, bis schließlich nur noch ein dunkelroter Schimmer die Feuerstelle zeigte.

Sigi fühlte sich zufrieden. Hier war er sicher. Niemand zeigte mit dem Finger auf ihn, niemand spie ihn an. Die Glut wärmte. Den Fisch schmeckte er noch auf der Zunge. Er schlief ein.

Als Schritte draußen stapften und an der Tür gepoltert wurde, war es mit dem Schlaf vorbei. Die Männer von der Fee waren gekommen. Schwere Körbe trugen sie. Willem blies in das Feuer und legte dünne Äste auf. Hell züngelten die Flammen. Das Holz knisterte. Verschlafen sah Klas nach dem Fang der Nacht.

»Das sind ja mehr als zehn Salme«, sagte er.

»Ja, heute war es ganz gut. Aber nun sieh zu, dass du den Kaffee bald fertig hast. Und dann nichts wie hinaus mit euch sechs Schlafmützen.«

Während die Männer, die die Nacht auf der Fee gearbeitet hatten, aßen und tranken und sich zum Schlafen auf die Streu wälzten, machten sich die anderen sechs bereit. Mit ihnen gingen auch die Jungen und Herr Ulpius aus der Hütte.

»Sollen wir es noch auf Barsche versuchen?«, fragte Herr Ulpius.

Aber die Jungen hatten schlafschwere Augen und wollten nach Hause.

»Lauft ihr nur«, sagte Herr Ulpius. »Ihr könnt eure Ruten und den Aalkorb mitnehmen. Ich fange noch ein paar Barsche. Sie beißen, bevor die Sonne aufgeht.« Im Morgendunst stapften die Jungen durch das Gras. Es war schwer von Tau. Die Kälte kroch ihnen in den Körper.

»Hör mal, Karl, kannst du mich nicht mitnehmen, wenn du auf den Turm der Großen Kirche steigst?«

Karl gähnte. »Wenn es dir Spaß macht, Sigi, warum nicht? Ich war schon dreimal oben. Einmal hat Coudi mich mitgenommen. Er sagte: ›Von dieser höheren Warte aus kann man alles ganz anders beurteilen.‹ Coudi ist in Ordnung. Dem kann man vertrauen. Manchmal denke ich, es muss schön sein, Lehrer zu sein.«

»Ich freue mich schon darauf, wenn wir auf den Turm steigen, Karl.«

Noch ehe die Sonne aufging, erreichten sie die ersten Häuser. »Bis nachher.« Karl bog in die Brockstraße ein.

»Ja, aber bis zehn werde ich erst mal schlafen«, sagte Sigi. Er war noch keine hundert Meter weiter, als sie über ihn herfielen. Harte Fäuste schlugen auf ihn ein. Korb und Ruten ließ er fallen und riss die Arme hoch. Genau vor sich erkannte er das Gesicht des Burschen, der ihn nach seinem Haus gefragt hatte. Er schlug zu, wütend und hart. Doch gleich darauf spürte er eine Faust auf der Brust. Der Stoß nahm ihm den Atem. Trotzdem ging er ein, zwei Schritte auf den Gegner zu, sah nur ihn und achtete nicht auf die anderen und ihre Schläge.

Schließlich bildeten sie einen Kreis um Sigi und den Burschen. »Gib es dem Saujuden, Robert!«, riefen sie ihm halb laut zu. Robert war größer und breiter als Sigi. Auch stand er ihm an Beweglichkeit wohl nicht nach. Zwar wich Sigi dem ersten Schlag aus und stieß seine Faust gerade in die ungedeckte Stelle unter den Arm, doch Robert schien den Schlag nicht zu spüren und prügelte auf Sigi ein. Sigis Lippe sprang auf. Er schmeckte das Blut süß auf der Zunge. Wütend schoss er die Rechte in Roberts hochgezogene Deckung und ließ die Linke nachsausen. Sie traf die Magengrube. Robert krümmte sich und stöhnte auf. Sigi nützte den Augenblick und suchte Rückendeckung an der Hauswand. Doch schon war Robert wieder vor ihm. Seine Schläge waren nicht mehr so wild, doch schien er jetzt mit Sigi Katz und Maus spielen zu wollen. Sigi spürte den Hieb auf den kurzen Rippen, japste nach Luft. Jetzt fuhr ihm die Faust an den Hals, ins Gesicht. Einmal noch schien es Sigi, als habe er eine Chance. Er sah das Kinn des Burschen frei und ungedeckt in der Reichweite seiner Fäuste. Doch es war eine wohl berechnete Falle. Sigi stieß ins Leere, taumelte und spürte den Schlag hinter das Ohr kaum. Er sank in die Knie.

»Gebt ihm den Rest, dem Schlappschwanz«, hörte er wie durch einen Nebel. Er sah undeutlich, wie sie langsam auf ihn zuschritten, von allen Seiten kamen sie. Sie traten auf ihn ein. Sie wollten sich die Hände nicht beschmutzen. Jetzt schrie Sigi zum ersten Male lang und laut, stürzte vollends auf das Pflaster und spürte nicht mehr, dass einer der Burschen den Korb ergriff und die Aale über ihn ausleerte. Als er sich wieder erheben konnte, war die Straße still und leer.

Er wusste, dass er geschrien hatte. Hatte niemand ihn gehört? Er blickte zu Dreigens hinüber. Die ersten Sonnenstrahlen blinkten im Fenster. Frau Dreigens und ihr Mann standen hinter den Scheiben. Als sie bemerkten, dass er sie sah, ließen sie die Vorhänge fallen. Sie halfen ihm nicht. Mühsam raffte er sich auf. Die Ruten lagen zerbrochen. Der Korb war leer. Nasse Spuren im Sand zeigten ihm den Weg der Aale. Nur drei fing er wieder. Sie hatten den Weg ins Gras nicht gefunden. Er fuhr sich mit der Hand vorsichtig durch das Gesicht. Die Lippe war dick aufgequollen. Sein Arm schien verletzt, in seinem Rücken stachen Nadeln. Er gab die Suche nach den entwichenen Aalen auf, packte die Reste seines Angelzeuges und schleppte sich nach Hause.

Mutter lag noch. Doch sie hatte seinen leisen Schritt gehört.

»Bist du es, Sigi?«, rief sie halblaut.

»Ja, Mutter.«

»Hast du etwas gefangen?«

»Nur drei Aale, Mutter.«

»Wir Juden essen niemals Aale, Junge. Weißt du doch.«

»Ich werde sie verkaufen, Mutter.«

In der Werkstatt mühte er sich das Blut, den Schmutz und den Schleim der Aale abzuwaschen, doch er vermied es, in den Spiegel zu sehen. Er wollte nicht wissen, wie sein Gesicht aussah.


# 11


Niemals zuvor hatte Sigi so beten können wie an diesem Abend in der Synagoge. Die Psalmen, sonst ein Buch mit sieben Siegeln, hatten mit einem Male Gewicht bekommen. Sie schienen wie für ihn geschrieben: »Herr, nicht in deinem Zorne strafe mich. Erbarme dich meiner, oh Herr, denn arm bin ich, heile mich, Herr, denn zerfressen ist mein Gebein, geprügelt meine Seele, du Herr, wie lange noch?«

Noch das Gebet auf den Lippen, noch die Worte tief im Herzen, trat er mit Vater aus der Tür. Doch Vater ging nicht den gewohnten Weg über den Markt nach Hause, sondern folgte den anderen Männern, die in die Hohe Straße einbogen. Sie gingen einzeln oder in kleinen Gruppen. Bald merkte Sigi, dass dieser Weg zu Pfingstens Haus führte. Er wunderte sich über die Heimlichkeit, mit der die Männer das Haus betraten. Was hatten sie vor? Weshalb trafen sie sich nicht im »Goldenen Apfel« oder im »Hotel zur Drachenburg«? Gab es ein Geheimnis zu besprechen? Er konnte sich das nicht erklären, zumal es nie die Art der Juden in dieser Stadt gewesen war, außer in der Synagoge unter sich zusammenzukommen. Und selbst die Synagoge wurde von einigen gemieden. Der Vater nannte sie »die Liberalen«. Doch auch die saßen bei Pfingsten in der Runde um den Tisch. Wenige mehr als ein Dutzend Männer waren es, Juden, die älter als 13 Jahre waren und die in diesem Orte wohnten, friedlich, als Bürger unter Bürgern. Sigi war der Jüngste, wenige Monate zuvor erst war er als Vollmitglied in die Gemeinde aufgenommen worden und von da an ein Bar-Mizwa, ein Sohn der Pflicht. Den Segensspruch durfte er in der Synagoge sprechen und eine kleine Rede halten. Er saß nun auf dem letzten Platz und konnte Herrn Pfingsten, dem Vorsteher, gerade ins Gesicht schauen. Ernst sah der heute aus. Düster starrte er vor sich hin. Niemand versuchte, ihn in ein Gespräch zu ziehen. Die Männer redeten leise; vom heißen Sommerwetter; vom Handel; vom bevorstehenden Schützenfest. Doch hinter ihren alltäglichen Worten lauerte irgendetwas. Sigi spürte es. Sie waren nicht wegen des Wetters, des Handels, des Festes beisammen.

Frau Pfingsten goss aus einem Bunzlauer Krug Wein in langstielige Gläser, gelben Wein. In Sigis Glas gab sie nur ein Schlückchen und lächelte ihm zu. Sie flüsterte endlich ihrem Mann etwas ins Ohr. Der nickte, blickte in die Runde und gab ihr einen Wink. Sie verließ das Zimmer und zog die Tür hinter sich ins Schloss. Die Männer verstummten und blickten auf den Hausherrn. Sigi war befangen. Schließlich räusperte sich Herr Pfingsten, nahm die Zeitung des Vortages aus der Seitentasche und sagte: »Ihr kennt alle den Zeitungsbericht. Ich habe euch seinetwegen hierher eingeladen, denn das, was darin steht, wird nicht ohne Folgen bleiben.«

»Was geht das uns an?« Ruben Josefowitsch schob angriffslustig seinen Kopf vor. Alle sahen ihn an.

»Wie meinst du das, Rubi?«, fragte Herr Pfingsten.

»So, wie es gesagt ist. Das ist Waldhoffs Angelegenheit, und wir sollten uns hüten, uns da einzumischen.«

»Du weißt genau, Rubi, dass Waldhoff etwas angehängt werden soll, für das er nichts kann«, sagte Herr Pfingsten.

»Ich möchte darauf verzichten, in dieses Gerede hineingezogen zu werden.« Ruben Josefowitsch war erregt. »Ihr könnt euch ausmalen, wohin das führt, wenn wir Juden uns darum kümmern. Es wird dann nicht mehr ›der Waldhoff‹ heißen, sondern ›die Juden‹.«

»Recht hat er, recht«, bellte Sammy Deichsel.

Sigi schaute ihn an. Er konnte sich denken, warum Herr Deichsel sich auf Josefowitschs Seite schlug. Es war noch nicht lange her, da hatte Vater sich mit ihm gestritten und hatte ihm vorgeworfen, dass er krankes Vieh gekauft und für gutes Geld dem jungen Metzger Bürger aufgeschwätzt habe. »Was geht dich das an?«, hatte Sammy damals höhnisch gefragt. »Geschäft ist Geschäft.«

Da war Vater zornig geworden und hatte ihm vorgehalten: »Geschäft nennst du das? Ich nenne das Betrug.« Sammy hatte Vater nur verächtlich angeblickt und die Achseln gezuckt. Irgendetwas, das wie Neidhammel klang, hatte er gemurmelt und war davongegangen.

Sigi wurde aus seinen Gedanken aufgeschreckt. Herr Pfingsten redete ihn an: »Erzähle du, was sie dir gestern getan und gesagt haben.«

Da berichtete Sigi kurz, wie es ihm ergangen war. Der Vater streifte ihm sein Hemd von der Schulter. Die Striemen schimmerten im Licht grünlich und waren immer noch geschwollen. »›Ausräuchern sollte man euch Judenpack‹, das war das Letzte, was sie mir nachriefen«, schloss Sigi.

»Ihr hört es und seht, dass es bereits gar nicht mehr darum geht, ob wir hineingezogen werden wollen oder nicht, wir stecken alle bereits mitten darin«, sagte Herr Pfingsten.

Rubi Josefowitsch fuhr auf: »Und ich sage euch noch einmal, es war dumm, dass wir hier zusammengekommen sind. Es wird sich herumsprechen, und man wird die Männer, die hier um einen Tisch sitzen und so geheimnisvoll reden, auch in einen Topf mit den Übeltätern werfen.«

»Mitgefangen – mitgehangen«, pflichtete Sammy Deichsel bei.

Da sprang Bartel Scheldis auf, er, der als der Bedächtigste im ganzen Kreise galt. Erregung klang in seiner Stimme: »Übeltäter? Fangt ihr denn auch schon an, den Kopf zu verlieren? Was hat Waldhoff denn getan?«

Er suchte nach Worten. Sammy fuhr dazwischen: »Tja, wenn wir das nur wüssten . . . Bist du denn sicher, dass Waldhoffs Wolle so weiß ist?«

Ängstlich blickte Sigi auf Herrn Pfingsten, ruhig antwortete der: »Ich kenne Waldhoff von Jugend an. Ihr alle kennt ihn. Ich weiß, dass er kein Kindesmörder ist.«

Bartel Scheldis nickte, und viele murmelten beifällig. Rubi und Sammy aber sahen sich an und lächelten sich zu, als ob sie im Besitz großer Geheimnisse wären.

»Wir wissen«, fuhr Herr Pfingsten fort, »dass an Waldhoffs Händen kein Blut klebt. Aber wird man uns glauben?«

»Eben, eben«, sagte Parnitzki. »Das ist es ja. Wenn wir bei den Bauern und Metzgern auch tausendmal sagen: ›Der Waldhoff hat es nicht getan‹, dann wird man uns entgegenhalten: ›Ihr haltet ja zusammen wie Pech und Schwefel; eine Katze kratzt der anderen kein Auge aus.‹«

»Wir können nur helfen, die ganze Wahrheit ans Licht zu bringen«, sagte Herr Pfingsten.

»Aber wie?«, fragte Parnitzki.

Bartel Scheldis nahm einen tiefen Schluck aus dem Glas, schob es auf die Seite, blickte von einem zum anderen und sagte: »Ich halte nicht viel von dem Kriminalkommissar aus Düsseldorf. Ich meine, er hat sich in seine eigene Geschichte verliebt und hat nur das aus den Zeugenaussagen herausgehört, was in sein Fantasiebild passt. Nicht, dass er sich keine Mühe gegeben hätte. Im Gegenteil! Er hat ja so viele Leute verhört, dass wir uns fragen, wann er überhaupt schläft. Aber schafft er es, den wirklichen Täter zu finden? Verweht nicht mit jedem neuen Tag die richtige Spur ein wenig mehr? Wir müssten für diesen verwickelten Fall den besten Mann hier haben, den es gibt.«

»Vielleicht Kriminalkommissar Hundt aus Berlin«, kicherte Sammy.

»Warum eigentlich nicht?«, fragte Herr Pfingsten. Er schien sich an diesem Gedanken zu entzünden. »Herr Hundt, das ist der richtige Mann. Vielleicht gelingt es seiner Spürnase, die alte Witterung aufzunehmen.«

»Und die Kosten? Wer soll das denn bezahlen?«, warf Rubi Josefowitsch ein. »Die Regierung in Berlin wird sich bedanken.«

»Der Waldhoff schafft das sicher auch nicht«, setzte Sammy hämisch hinzu.

»Weil Vater nur ehrliche Geschäfte macht«, entschlüpfte es Sigi.

Sammy Deichsel sprang auf, doch bevor er sich beschweren konnte, wies Herr Pfingsten Sigi zurecht: »Es ist hier nicht üblich, dass der, der auf dem letzten Platze sitzt, ungefragt etwas sagt. Halte dich daran, Junge!« So nahm er Sammy den Wind aus den Segeln. Der begnügte sich mit der Bemerkung »Rotzjunge« und setzte sich wieder.

»Wir werden eine Spendenliste herumgehen lassen«, schlug Herr Pfingsten vor, schritt zu seinem Schreibtisch und kehrte mit Papier und Bleistift zurück.

Er sagte: »Ihr wisst, dass wir eine beträchtliche Summe brauchen werden. Euer Verstand sagt euch, dass ihr das nicht für Waldhoff zahlt, sondern dass wir alle in einem Boot sitzen. Wer das nicht einsehen will, der mag das Geld eben für die Gerechtigkeit geben.«

Der Bogen kreiste. Unter die stattliche Summe von hundert Talern, die Herr Pfingsten an die Spitze geschrieben hatte, reihten sich je nach dem Vermögen der Männer und nach der Bedeutung ihres Handels größere oder geringere Beträge. Allerdings konnte sich nur Scheldis erlauben, es Herrn Pfingsten gleichzutun. Parnitzki musste sich mit fünf Mark begnügen. Jeder wusste, dass selbst das ein Opfer für ihn war. »Neunundvierzig Mark, sechsundfünfzig Pfennig«, schrieb Sigi als Letzter auf die Liste. Das war alles, was er besaß.

# 12

*E*s war ein herrliches Schützentreiben in diesem Jahr gewesen. Den Offizieren der Sebastianer waren neue Schützenhüte bewilligt worden, grün mit langen weißen Hahnenfedern. Der Kindernachmittag hatte die Väter in Schweiß gebracht, so viele Mädchen und

Jungen waren erschienen. Mit Stolz konnte der erste Leutnant feststellen, dass sogar von der konkurrierenden Ambrosius-Bruderschaft am Ort die Kinder der Offiziere gekommen waren, sicher ohne Wissen der Väter. Gerade das stärkte die Überzeugung der Sebastianer, eben doch die maßgebende Bruderschaft in der Gemeinde zu sein. Beim Gedenken an die Toten des Krieges 1870/71 hatte der Obrist eine zu Herzen gehende Rede gehalten. Der gute Stern der Sebastianer, das kleine Bienchen, ein Mädchen in langem weißem Kleid, das Bündel Sebastianspfeile über der Schulter, hatte ohne Stocken das Gedicht vom toten Helden unter grünem, kühlem Rasen zu Ende gesprochen. Die Liedertafel Harmonia von 1831 stattete ihren Beitrag ab und sang vom heil'gen Vaterland, von Söhnen, Kaiser, Blut und Ehre. In der Großen Kirche segnete Kaplan Wilbig die neue Fahne. Der Fahnenjunker Klas Strünk zeigte bei der anschließenden Parade seine Künste, ließ das neue Tuch rundum sausen, warf es empor, fing es geschickt wieder auf und drehte enge und schnelle Kreise, wie es ein Fahnenschwenker nur nach langer Übung fertig bringt.

Beim Königsschießen hatte es keine Überraschungen gegeben. Der Mann, den der Vorstand ein halbes Jahr zuvor zum besten Schützen bestimmt hatte, gab gegen Ende des Wettbewerbs den siebzehnten Schuss auf den zerzausten Vogel ab. Er fegte ihn gerade in dem Augenblick ruhmreich von der Stange, als der Vorstand sich bereits insgeheim die Haare raufte, weil die Platzpatronen für die Mitbewerber auszugehen drohten und diese schon offen ihre Verwunderung darüber aussprachen, dass trotz ruhiger Hand und sicheren Auges kein noch so winziger Holzspan von dem zerrissenen Vogelrumpf absplitterte. Begeistert hoben die Schützen den neuen König in die Thronsänfte und trugen ihn rund um das Schützenhaus am Grafenberg. Alle brachen in Hochrufe aus. Wenn auch diesem oder jenem der reiche Herr Childrau nicht nach dem Herzen war, nach dem Magen war er gewiss jedem, denn so manche Runde war von diesem König zu erwarten. Da er auch sehr leutselig ins gemeine Volk hineinwinkte, kam er seiner Pflicht den Untertanen gegenüber voll nach; denn was darf das Volk mehr von einem guten Herrscher erwarten als Brot und Spiele, wobei in diesen fetten Jahren das flüssige Brot, das Theo III. zu spenden gewillt war, gern genommen wurde.

Die Vorfreude erreichte jedes Mal den Siedepunkt, wenn das Gespräch auf den bevorstehenden Krönungsball kam. Theo III. hatte dem Vorstand vorgeschlagen, den ganzen Schützensaal in Rot-Weiß zu halten. Rote und weiße Nelken sollten die Tische schmücken, Blumen, die er eigens aus dem nahen Holland kommen lassen wollte. Für das Gefolge stiftete er rot-weiße Schärpen. Die Töchter des Königs kleideten sich wie Schneeweißchen und Rosenrot, rot-weiße Straußenfedern bewilligte er für Frau und Königin Hendrina, kurzum, das, was man einen fein abgestimmten Geschmack nennt, kam zum Zuge. Rot-Weiß war auch politisch wieder unbedenklich geworden, nachdem der eiserne Kanzler in Berlin die Sozialistengesetze vor einigen Jahren durchgepaukt hatte.

Mit Rotwein und Weißwein als Pflichtgetränk jedoch war Theo nicht durchgedrungen, weil eben Bier und Korn dem allgemeinen Geschmack mehr entsprachen. Geheimnisvolles Getuschel und Mutmaßungen galten der Kapelle, die zum Fest verpflichtet worden war. Sicher wusste man nur, dass das bruderschaftseigene Blasorchester zum Auftakt »Alte Kameraden« spielen würde und dann frei zum Tanzen war. Aber wer spielte auf? Zeitweise gelang es diesen Gesprächen, das Mordgeflüster zu verdrängen, das seit dem Peter-und-Pauls-Tag das beherrschende Thema gewesen war. Strammen Schrittes, die Holzgewehre geschultert und Sträußchen am Hut, marschierten die drei Kompanien durch die Stadt zum Grafenberg hinauf, der Hauptmann zu Pferde voran. Der König und das Gefolge grüßten aus der offenen Kutsche und warfen den Kindern Karamellen zu. Weniger militärisch, aber ebenso zielstrebig gingen die Frauen in Gruppen Arm in Arm zum Schützenhaus hinauf. Die alten Kastanien, die die Allee in einen Laubengang verwandelten, warfen bereits lange Schatten und spendeten einen Hauch von Kühle an diesem Hochsommertag. Die Waldhoffs wollten nicht zum Fest. Bernd Waldhoff hatte noch im Jahre vorher den Kopf des Vogels heruntergeschossen und einen Preis gewonnen. Doch er scheute die Blicke, die verletzenden Fragen, die verlegene Unsicherheit der alten Bekannten. Ruth hatte so lange gebettelt, bis sie die Erlaubnis bekam mit Frau Scheldis hinaufzugehen. Vor dem Festsaal hielt Theo III. eine kurze Rede, die sich ebenfalls auf die gewählten Farben bezog. Bei Rot hatte er es mit der Liebe, doch meinte er vor allem das gute nachbarliche Miteinander im Städtchen. Die Deutung von Weiß, die man gerade aus seinem Mund gern vernommen hätte, ging allerdings in den Klängen des Einzugsmarsches unter. »Alte Kameraden« fuhr in die Beine. Theo marschierte voran. Weit öffneten sich die Flügeltüren des Saales, und ein allgemeines »Ah« und »Oh« würdigte die Mühe, mit der man diesem sonst etwas tristen Tanzboden ein festliches Aussehen verliehen hatte. Über die Wände wallten rot-weiße Stoffbahnen. Lediglich die Stirnseite des Saales, die ein kolossales Gemälde der Schlacht im Teutoburger Wald darbot, war – wohl weil das Rot im dahinströmenden Blut römischer Legionen und das Weiß in den Blondschöpfen urwüchsiger Germanen genügend vertreten war – ohne weiteren Schmuck geblieben.

Ruth hatte Gerd bald gefunden. Zum ersten Male nahm sie seinen Arm. Die neugierigen Blicke der Frauen, ja selbst die Pfiffe aus den Reihen der Jungschützen machten ihr nichts aus.

Sie spürte, wie Gerd sich über das Aufsehen ärgerte. Da lachte sie ihm zu und sagte: »Lass sie, Gerd. Warum sollen sie sich nicht mit uns freuen?« Sie fanden einen Platz nahe der Tanzfläche. An dem langen Tisch saßen Leute aus der Nachbarschaft. Die meisten waren ihnen gut bekannt. Fritz Stappen hockte mit einer ganzen Schar junger Männer am Ende des Tisches.

»Kennst du den Junggesellenverein dort?«, fragte Ruth.

Doch Gerd hatte die jungen Männer noch nie gesehen. »Vielleicht hat Fritz seine Kameraden vom Militär eingeladen.«

Die Älteren hielten sich mehr im Hintergrund. Der Bürgermeister wurde nach einem Tusch begrüßt. Er war in ein Gespräch mit Herrn Pfingsten verwickelt. Seine Frau stieß ihn an und machte ihn darauf aufmerksam, dass das Wort an ihn gerichtet war. Er erhob sich und winkte seinen Bürgern zu. »Und jetzt, meine sehr verehrten Damen und Herren, erfolgt die große Überraschung des Abends.«

Der diensthabende Offizier der Schützen trat in die Mitte des Saales. »Ich darf Sie alle bitten, fest die Augen zu schließen und Ruhe zu bewahren.«

»Wie feierlich«, spottete Ruth, doch als sie sah, dass Gerd dem Befehl nachkam, legte sie gehorsam die Hand über die Augen. Es kam ihr ziemlich lang vor. Doch da erklangen die ersten Takte des Kaiserwalzers. Die Gäste sprangen auf. Das war nicht die Bruderschaftskapelle, das hörte Ruth schon am ersten Takt. »Soldaten!«, rief sie. Der Offizier gab der Kapelle ein Zeichen. Der Walzer brach ab.

»Wir begrüßen die Militärkapelle des 27. Infanterieregimentes aus der nahen Garnison mit einem dreifachen . . .«

Und aus allen Kehlen schallte es: »Hurra, hurra, hurra!« Der Kapellmeister drehte sich um, knallte die Hacken gegeneinander und deutete eine Verbeugung an. Schon ging es weiter, Takt siebzehn des Kaiserwalzers. »Wunderbar«, schwärmte Ruth und drehte sich mit Gerd im Kreise, bis ihr Kringel vor den Augen schwammen und sie sein Gesicht nicht mehr erkennen konnte.

Sie tanzte nur mit Gerd. Keinen Tanz ließen sie aus. Schließlich beschwerte sich Paul Heikens, der ihr in den kurzen Tanzpausen gegenübersaß: »Du kennst wohl nur noch einen einzigen Tänzer, Ruth, was?«

»Das kann schon sein«, antwortete sie.

Gerd schmunzelte. »Verliebt sein macht blind für unsere Schönheit.«

»Muss Liebe schön sein.«

»Junges Glück!«

»Vorsicht, nicht stören!«, so flogen die Neckereien zu den beiden herüber.

Gerd stand auf, lachte und antwortete: »Ihr platzt doch wohl nicht vor Neid, was?«

Er wandte sich bereits wieder der Tanzfläche zu, da rief Fritz Stappen ihm nach: »Du meinst wohl, wir seien neidisch auf deine Jüdin?« Die ganze Schar am Ende des Tisches grölte auf.

Gerd schoss das Blut in den Kopf. Ruth merkte es und hielt seinen Arm fest. »Lass doch die dummen Jungen reden, Gerd«, flüsterte sie ihm zu. Doch mit einem Male war die Freude an diesem Fest getrübt. Die Musik spielte so wie seit Stunden schon, die Tanzschritte waren dieselben. Gerd hielt sie in seinem Arm. Nichts hatte sich geändert. Doch Ruth überlief es kalt inmitten der schwitzenden und stampfenden Menge. Sie tanzte weiter, ja, sie wünschte, die Soldaten würden nie mehr aufhören zu spielen. Sie fürchtete sich vor der Rückkehr an ihren Tisch.

»Lass uns ein wenig vor die Tür gehen, Gerd.«

Sie drehten sich in die Nähe des Ausganges und traten auf den Schützenplatz. Die Nacht war mondhell.

»Ist dir nicht gut?«, fragte Gerd besorgt.

»Doch, Gerd, sehr gut ist mir.« Sie berührte ihn mit der Schulter. Wenn er doch jetzt mit mir fortginge, dachte sie.

Er fasste sie fest, und sie schlenderten aus dem Lichtschein des Saales der Allee zu. Eine Weile spazierten sie den düsteren Weg entlang, da drehte Gerd sich zu ihr, umschlang sie hart und presste sein Gesicht gegen das ihre. Sie spürte die Kraft in seinen Armen, ihre Finger tasteten nach seinem Gesicht. Sie lachte, ein wenig außer Atem. Er ließ sie plötzlich los, nahm sie bei der Hand und sprang die niedrige Böschung der Allee hinauf. Sie ließ sich hinaufziehen, doch kaum waren sie ein, zwei Schritt durch das Gras gegangen, da fuhren zwei Schatten auseinander, und eine erregte Männerstimme schimpfte: »Verduftet, aber schnell!«

»Komm zurück«, bat Ruth. Als Gerd zögerte, wiederholte sie: »Bitte, Gerd, komm zurück.« Ihr fiel Frau Scheldis ein. Sicher würde sie bereits unruhig nach ihnen Ausschau halten. Verstimmt und brummig ging Gerd neben ihr her. Die Musik machte gerade eine Pause. Frau Scheldis winkte zu Ruth hinüber. Ein wenig besorgt, warf Ruth einen Blick in die Junggesellenecke. Doch schien die Aufmerksamkeit jetzt anderen Dingen zu gelten. Sie steckten die Köpfe zusammen und hatten wohl Wichtiges zu bereden.

»Willst du noch ein Bier?«, fragte Gerd.

»Lieber ein Glas Saft, Gerd.«

Er bestellte Bier und Saft.

»Warum bist du ärgerlich?«, fragte sie ihn und strich über seine Hand. Er blickte sie an, vorwurfsvoll erst, doch dann zog sich ein Lächeln um seine Augen.

»Bären sind manchmal dumm, weißt du. Denk nicht mehr daran.«

Sie freute sich. Der Kellner brachte die Getränke. Während Gerd bezahlte, rollte eine locker geknüllte, kleine Papierkugel neben ihr

Glas. Sie griff danach und spähte nach dem Absender. Doch niemand schaute zu ihr herüber. Verwundert faltete sie das Papierchen auseinander und strich es glatt. Doch gleich darauf bedeckte sie hastig die hingekritzelte Schrift mit der flachen Hand. »Macht es Spaß mit dem Judenbiest?«, stand da geschrieben. Sie presste den Zettel zusammen und wischte ihn auf den Boden. Ohne aufzusehen, spürte sie die harten Blicke vom anderen Ende des Tisches auf ihrer Haut. Der Trompeter schmetterte ein Signal.

»Damenwahl«, rief der Kapellmeister.

Ruth sprang auf. Sie spürte ein Zittern in ihren Knien. »Darf ich bitten?«, murmelte sie. Steif und mechanisch ließ sie sich durch die tanzenden Paare schieben. Plötzlich brach der Walzer mitten im Takt ab.

»Partnerwechsel!«, kommandierte der Kapellmeister.

Gerd verbeugte sich und wandte sich der dicken Frau Gebel zu. Mit ihr versuchte er den Walzer linksherum. Paul Heikens drängte sich zu Ruth durch. »Siehst du, einen Tanz musst du mir schon erlauben.«

»Warum denn nicht?« Ruth versuchte ein kleines Lachen.

»Du bist so ernst, Ruth. Ist dir eine Laus über die Leber gelaufen?«

Ruth schwieg. Was sollte sie auch sagen?

»Es ist schon nicht angenehm für euch, wie sie alle über euch reden.«

Ruth wäre am liebsten auf ihren Platz zurückgegangen. Hielte Paul doch nur seinen Mund! »Der Mehlbaum will dich sogar gesehen haben, wie du den Jean im Sack in die Scheune getragen hast.«

»Sei still davon, Paul. Ich will den ganzen Unsinn heute Abend vergessen.«

Die Kapelle schwieg wieder. Paul bedankte sich und ging davon. Ruth schaute sich um. Die neuen Paare schienen sich bereits alle gefunden zu haben. Vor ihr stand Josef Beutler, der mit ihr in der Schule gewesen war. Josef kehrte Ruth den Rücken zu und reckte den Hals. Die Musik setzte wieder ein. Ruth berührte ihn und fragte: »Vielleicht nimmst du mit mir vorlieb?«

Er drehte sich um, lachte sie an und sagte: »Warum denn in die Ferne schweifen?« Wild drehte er Ruth einmal, zweimal im Kreise. Dann ließ er sie los.

»Moment mal«, stieß er hervor. Alle Freundlichkeit fiel von ihm ab. Er fixierte sie und sagte hochnäsig: »Bist du nicht eine Jüdin? Mit Jüdinnen nicht! Bei mir nicht!«

Er drängte sich fort. Ruth ließ sich von den Paaren hin und her schieben. Ihr stieg ein Lachen in die Kehle. Sieh mal an, der Josef, dachte sie. Bei mir die Rechenaufgaben abschreiben, dazu war er vor ein paar Jahren nicht zu stolz!

Beim nächsten Wechsel geriet sie wieder an Gerd. Am liebsten hätte sie ihm gesagt, dass sie nach Hause wollte. Aber wie sollte sie ihm das erklären? Er führte sie an den Tisch zurück. Diesmal sah er die heranfliegende Papierkugel. Ruth schlug das Herz im Halse. Er las. Wütend zerknitterte er das Papier in der Faust und erhob sich halb. Doch niemand schien etwas bemerkt zu haben. Man schwatzte, lachte, schaute ins Glas.

»Lass uns gehn«, flüsterte Ruth Gerd ins Ohr.

»Das wäre ja noch schöner!«, antwortete er laut.

Einen Augenblick trat Frau Scheldis zu ihnen. »Ich weiß nicht«, tuschelte sie, »irgendetwas ist im Gange. Josefowitsch ist schon gegangen. Sie haben ihm arg zugesetzt.«

»War er betrunken und wollte eine Schlägerei anfangen?«, fragte Gerd.

»Keine Spur. Aber es ist viel fremdes Volk hier. Die haben etwas gegen Juden.«

Wenn es nur die Fremden wären . . . , dachte Ruth. Sie schaute in die Runde. Fröhliche, ausgelassene Menschen saßen an den Tischen. Hier und da hatte das Bier die Augen der Männer bereits wässrig und stumpf werden lassen. Mitten unter den Frauen und Männern saßen die jüdischen Familien im Kreise ihrer Bekannten, ihrer Nachbarschaft. Zwanzig Personen mochten es sein oder wenige mehr. Dort schwatzte Esther Scheldis mit Hein Ratke, die Deichsels saßen am Tisch neben der Kapelle, Parnitzkis waren da und natürlich Familie Pfingsten. Der Bürgermeister hatte Herrn und Frau Pfingsten an den Ehrentisch gebeten. Der junge Carlos Pfingsten redete auf Franziska Pannbecker ein.

Was trennte die Juden von den anderen Bürgern? Sie lachten, tanzten, tranken miteinander. Ruth spürte durch den Lärm hindurch, dass irgendetwas in der Luft lag. Eine große Angst überfiel sie. Es kam ihr vor, als ob die Menge sie anstarrte. Das Amphitheater fiel ihr ein, die Geschichten kamen ihr in den Sinn, die Fräulein Reitges vor Jahren in der Schule erzählt hatte, Geschichten von Menschen, die in der Arena sterben mussten, weil viele tausend Augenpaare Blut sehen wollten. Ein Schauder überlief sie. Sie krallte ihre Hände um die Kante des Stuhlsitzes.

Von fern drang Frau Scheldis' Stimme an ihr Ohr. Dann hörte sie Gerd: »Darf ich Ruth später nach Hause bringen?«

»Wir gehen gemeinsam«, wich Frau Scheldis der Frage aus. »Wenn du dich anschließen willst?« Dann ging sie.

Kaum hatte sie ihren Tisch wieder erreicht, als eine laute Stimme über das Gesumm und Gebrumm der Unterhaltungen hinwegklang: »Mörderpack raus.«

Die Gespräche verstummten. Alle Augen suchten nach dem Schreihals. Da tönte aus einer anderen Ecke des Saales: »Juden raus!«

»Was soll das heißen?« Herr Pfingsten war aufgestanden und schritt in die Mitte des Saales.

»Ich hoffe, liebe Mitbürger, dass Sie . . .« Mehr konnte niemand verstehen.

»Judenschweine raus.«

»Schmeißt sie raus!«

»Gebt es den Kindesmördern!«

Eine Flasche flog durch den Saal und zerschellte auf der Tanzfläche. Scharf wie auf dem Exerzierplatz befahl der Kapellmeister: »Seite 27.« Kaum ließ er Zeit zum Blättern. »Einsatz: eins, zwei.«

Die Soldaten spielten: Fridericus Rex.

Doch wenn der Kapellmeister gehofft hatte, die Musik werde den Aufruhr ersticken, dann sah er sich getäuscht. Ruth starrte mit aufgerissenen Augen in den Tumult.

Herr Pfingsten wich bis an den Tisch des Bürgermeisters zurück. Doch der Platz des Stadtoberhauptes war leer. Die anderen Tischgenossen schienen ihn nicht zu bemerken. Verwirrt bedeutete er seiner Frau und seinem Sohn, den Saal zu verlassen.

Ruth flog ein Bierdeckel gegen den Hals. Angst überwältigte sie. Sie floh dem Ausgang zu. Eine schwere Männerfaust traf sie zwischen den Schulterblättern. Sie stolperte über ein Bein, doch fiel sie nicht, erreichte die Tür, stürzte sich ins Dunkle. Zuerst wollte sie sich hinter einem Baum in der Allee verbergen, doch dann fiel ihr das weiße Kleid ein. Sie rannte weiter, bald ganz außer Atem. Die Brust schmerzte bei jedem Atemzug. Endlich erreichte sie das Stadttor, die Häuser. Vom Schützenhaus her tobte der Lärm. Glas klirrte. Das trieb sie weiter. Sie presste die Fäuste gegen die Ohren. Völlig erschöpft, gelangte sie schließlich nach Hause. Weinen schüttelte sie. Es dauerte lange, bis Mutter schließlich erfahren konnte, was sich im Schützenhaus ereignet hatte.

Sie wärmte schnell ein wenig Milch, nahm Ruth in ihren Arm und flößte sie ihr ein. Wie ein kleines Mädchen schmiegte sich Ruth an sie, immer noch von Schauern geschüttelt. Mutter brachte sie ins Schlafzimmer, half ihr beim Ausziehen und deckte sie zu.

Ruth lag ganz ruhig. Da klopfte es leise an die Tür. Frau Waldhoff ging auf Zehenspitzen durch den Laden. Es war Gerd.

»Ist Ruth zu Hause?«, fragte er

Sein Gesicht war rot vor Erregung. Quer über die Stirn lief eine blutige Schramme.

»Ja. Aber sei leise. Sie schläft.«

»Gott sei Dank. Ich habe sie überall gesucht.«

»Wie ist es denn da oben zu Ende gegangen?«

»Ach, den jungen Pfingsten haben sie so zerschlagen, dass er weggetragen werden musste. Alle Juden haben es bekommen.«

»Und?«

»Was und? Jetzt tanzen sie wieder, als ob nichts gewesen wäre.«

»Aber, Junge, du willst mir doch nicht weismachen, dass alle diesen Dingen, die dort geschehen sind, ruhig zugesehen haben?«

»Ruhig? Frau Waldhoff, das weiß ich nicht. Aber wer nicht zugesehen hat, der hat mitgeschlagen.«

»Kein vernünftiger Mann hat sich gefunden, der eingegriffen hat?«

»Nein, Frau Waldhoff, nein. Die ›Vernünftigen‹ haben sich vielleicht aus dem Staub gemacht, aber viele sind es nicht gewesen, ganz sicher nicht.«

»Und der Bürgermeister?«

»Hat geschwiegen. Niemand hat das Maul aufgetan. Nur der neue

Kaplan wollte ein paar ganz wilde Burschen zur Ruhe mahnen. Da hat ihm einer ein Glas Bier ins Gesicht geschüttet.«

»Wer?« Gerd zuckte die Schultern.

»Komm, Gerd, ich verbinde dir die Schramme.«

»Ach, lassen Sie es, Frau Waldhoff. Ich will jetzt nach Hause.« Er drehte sich um und ging fort. Frau Waldhoff setzte sich an den Tisch, drehte das Petroleumlicht ein wenig kleiner und starrte in die Flamme. Als Sigi am anderen Morgen aus dem Schlafzimmer kam, fand er sie. Sie war über ihren verschränkten Armen eingeschlafen.

## 13

*B*leierne Müdigkeit lag über der Stadt. Es war so recht ein blauer Montag. Viele spürten den Rausch noch in den Knochen. Es war kein Wunder, dass die Stammtische in den Kneipen schon am Montag gut besetzt waren. Im »Goldenen Apfel« spendierte der Stellmachermeister und Kirchenrendant Kohl eine Runde Bier. Er hatte den ganzen Streit verpasst, weil er bereits früh aufgebrochen war. Lang und breit ließ er sich erklären, was sich im Schützenhaus ereignet hatte. Wenn sich auch bei diesem und jenem das schlechte Gewissen regte, er verschloss es tief in der Brust, damit ja keiner auf den Gedanken kam, dass der Held von gestern sich heute wie ein Waschlappen fühlte. Sie führten große Reden.

»Denen haben wir's gezeigt!«

»Das war schon längst einmal fällig!«

»Jetzt wissen sie wenigstens, was die Butter kostet.«

»Habt ihr denn nicht ein bisschen zu dick aufgetragen?«, fragte Meister Kohl.

»Zu dick? Und der Kindesmord? erwiderte Mehlbaum hitzig.

»Na, damit hat aber der Pfingsten nichts zu tun.«

»Jude ist Jude«, stellte Huymann fest.

»Sehr richtig«, bestätigte Dreigens. »Ist das nicht eine Schande, wie die Juden hier hausen?«

Meister Kohl verstand nicht, was er meinte, und fragte: »Was willst du damit sagen?«

»Na, dass sie den Viehhandel ganz in ihrer Hand haben. Denk nur an den Deichsel. Das ist doch ein Lump!«

Alle nickten und Kohl brummte: »Das ist er. Der haut dich übers Ohr, wenn du dabeistehst.«

»Eben. Das müssen sie doch endlich spüren, dass sie mit uns nicht machen können, was sie wollen.«

»Jude ist Jude«, bekräftigte Huymann noch einmal.

»Jawohl, die halten zusammen wie Pech und Schwefel.« Dreigens klatschte dabei die flache Hand auf den Tisch.

Mehlbaum senkte seine Stimme, und die Köpfe schlossen einen engeren Kreis über dem Tisch: »Sie haben sich bereits zusammengesetzt und überlegt, wie sie alles vertuschen wollen.«

»Passt auf, Leute«, ereiferte sich Huymann, »das gelingt ihnen noch. Sie haben ihre Finger überall dazwischen. Sie bringen es noch so weit, dass dem Waldhoff kein Haar gekrümmt wird.«

»Das wollen wir mal abwarten«, sagte Mehlbaum, als ob er mehr wüsste als die andern.

»Ich sage dir, Georg, dem geschieht nichts. Dabei ist die Sache klar, glasklar.«

»Na, so klar wohl auch nicht«, dämpfte ihn Meister Kohl. »Sonst hätten sie ihn doch längst am Schlafittchen, wie?«

»Die da oben schlafen doch«, maulte Dreigens.

»Unter einer Decke stecken sie mit den Juden.« Huymann blies den Bierschaum vom Glas und nahm einen Schluck. Dann fuhr er fort: »Wir müssten selbst etwas unternehmen, damit die endlich wach werden.«

»Aber da ist doch der Kriminalkommissar aus Düsseldorf«, sagte Kohl.

»Ach, hör mir auf mit dem!« Mehlbaum wurde wütend. »Wie der mich behandelt hat! Als ob ich der letzte Dreck wäre. Haargenau habe ich ihm alles erzählt, was ich gesehen habe und so. Dann hat er 'ne Menge dämlicher Fragen gestellt, ob ich vielleicht Brillenträger wäre, ob ich die Ruth – stellt euch das vor –, ob ich sie genau kenne, wollte er wissen. Und den Kräfting erst, den hat er vielleicht dazwischengenommen, kann ich euch sagen. Wo er es gesehen hat, ob er den Jungen genau erkannt hat . . .«

»Wobei du ja wohl zugeben musst«, unterbrach ihn Kohl, »dass es wirklich nicht so leicht ist, sich auf jede Kleinigkeit zu besinnen. Denn schließlich wusste Kräfting an dem Morgen ja gar nicht, dass der Jean schon ein paar Stunden später tot sein würde. Wer achtet denn schon genau auf ein Kind, das ins Haus geholt wird, he?«

»Das mag ja alles sein. Aber der Kräfting hat es eben gesehen und erinnert sich zum Glück genau. Er ist sogar zu Sellers gegangen und hat sich ein Stück von dem Stoff zeigen lassen, aus dem Frau Seller dem Kind die Schürze genäht hatte, die es an dem Tag trug.«

»Na und?«

»Es war genau der Stoff, den Kräfting gesehen hat!«, stieß Mehlbaum hervor.

»Na, na.« Kohl war noch nicht ganz überzeugt.

»Das Tollste kommt noch«, ereiferte sich Mehlbaum. »Der Kriminale hat den Kräfting sogar gefragt, ob er vielleicht an dem Feiertag blau gewesen sei. Blau! Um zehn, elf Uhr!« Mehlbaum war entrüstet.

Der Wirt trug eine neue Runde herbei und mischte sich ein: »Genau das wollte er auch von mir wissen. Er hat sich den einen Schnaps, den der Kräfting hier gekippt hat, sogar in sein schwarzes Buch geschrieben. Einen Schnaps!«

»Dabei kann der Kräfting 'nen ganzen Eimer voll vertragen, ohne aus den Schuhen zu stolpern«, sagte Huymann. Der musste es wissen, denn er hatte schon manchmal sein Fassungsvermögen mit dem von Kräfting gemessen.

»Ne, ne«, Dreigens schüttelte den Kopf. »Wenn wir uns nicht selber helfen, dann geschieht rein gar nichts. Der Kriminalkommissar aus Düsseldorf, der ist nicht der Richtige. Was kann aus Düsseldorf schon Gutes kommen?«

Meister Kohl feuerte das Gespräch wieder an: »Wenn man die Zeitungen liest, dann bekommt man ja einen Schrecken, wie unsere Stadt schlechtgemacht wird.«

»Alles nur wegen der paar Juden!«

»Ich sprach vorige Woche den Giesel, der im Reichstag sitzt«, berichtete Dreigens. »Er sagt, ganz Berlin kennt unsere Stadt. Die größte Zeitung dort hätte in dicken Buchstaben auf der ersten Seite stehen gehabt: ›Was ist mit der Justiz los?‹«

»Es ist eine Schande«, sagte Mehlbaum.

»Was ich überhaupt nicht verstehe«, Dreigens beugte sich vor und tuschelte es über den Tisch weg, damit niemand über den Stammtisch hinaus ihn hören konnte, »was ich überhaupt nicht verstehe, das ist die Meinung der Kirche.« Kohl runzelte die Stirn. Seine Rendantenwürde ließ es nicht zu, dass jemand in seiner Gegenwart etwas gegen die Kirche äußerte.

»Ich will dir ja nichts, Kohl«, begütigte Dreigens. »Dass aber der Kaplan am Sonntag da noch von Mäßigung und Nächstenliebe gepredigt hat und jeder mit dem Krückstock fühlen konnte, was er meinte, das ist ein Skandal!«

»Lass doch, Paul, er ist ein junger Heißsporn. Der ist ja erst zwei Jahre hier«, meinte Kohl. »Außerdem war ich Zeuge, als der Herr Dechant ihn zurückgepfiffen hat. Es stehe einem Geistlichen wohl nicht gut an, für die ungläubigen Juden, denen ja schließlich das Blut des Herrn an den Fingern klebe, öffentlich Partei zu ergreifen.«

»Und was hat der Kaplan darauf geantwortet?«

»Er befinde sich mit seiner Meinung in guter Gesellschaft vieler Kirchenlehrer, Päpste und Heiliger. Und der Herr Dechant darauf: ›Lesen Sie gefälligst Ihren Chrysostomus!‹«

»Sollte mich nicht wundern«, vermutete Huymann, »wenn der junge Herr Kaplan sich bald in einer Pfarrei am Ende der Welt wiederfindet.«

Zwei jüngere Männer traten an den Stammtisch. Sie hörten eine Weile zu. Dann sagte der eine: »Ihr redet und redet. Aber was tut ihr denn? Was unternehmt ihr denn?« Er schürzte geringschätzig die Lippen.

»Ihr solltet heute bei der Arbeit sein«, tadelte Huymann. »Als wir noch so jung waren . . .«

»Es ist das alte Lied, Hermann. Komm, die tun ja doch nichts.«

»Und ihr, was tut ihr?«, rief Mehlbaum ihnen nach.

»Ihr werdet es schon merken. Wartet es nur ab«, antwortete der eine. »Hat es euch gestern nicht schon ganz gut geschmeckt?«

81

»Schnösel!«, sagte Mehlbaum. Doch Dreigens meinte: »Lass man, Georg, die Jungen, die sind schon richtig! Was suchen die Juden hier in unserem Vaterland? Sollen sie doch hingehen, wo sie hergekommen sind. Sie machen hier nur gute Geschäfte und leben in Saus und Braus. Ne, ne, die Jungen sind schon richtig.« Wie richtig sie waren, sollte sich zwölf Stunden später bereits zeigen.

Auf dem Heimweg fragte Kohl seinen Freund Huymann: »Warum eigentlich hat Mehlbaum so einen Hass auf den Bernhard Waldhoff? Kannst du dir das erklären?«

»Hass? Ist es wirklich Hass? Mehlbaum ist ein Schwätzer. Mit Waldhoff macht er sich interessant. Mehlbaum hier, Mehlbaum da, das hört er gern.«

»Vielleicht hast du recht«, stimmte Kohl zu.

Sigi lag im ersten Schlaf, als Lärm und Gepolter ihn erschrocken wach werden ließen. Er blieb steif unter der Zudecke liegen. Was war das? Hatte er nur geträumt? Er träumte so oft in diesen Nächten. Immer jagte irgendwer hinter ihm her. Seine Beine waren dann lahm und schwer wie Eisen. Er kam nicht schnell genug weg. Meist fiel und fiel er in unermessliche Tiefen, bis er aus dem Schlaf herausgefallen war. Aber diesmal? Da, es schlug gegen die Haustür. Das war kein Traum. Sigi sprang aus dem Bett. Er spähte durch das Fenster. Er sah aber den Stein nicht fliegen, der die Scheibe zertrümmerte. Glassplitter klirrten ins Zimmer. Hart schlug der Kiesel auf den Boden. Sigi sprang zur Seite. Deutlicher hörte er nun, was auf der Straße vor sich ging. Mit dem Rücken presste er sich neben dem Fenster gegen die Wand. Hier konnten sie ihn nicht treffen.

»Los, macht dem Juden ein wenig frische Luft«, rief eine Stimme frech. Steine prallten gegen die Hauswand, Scheiben zersplitterten. Beinahe zugleich sprangen die drei restlichen Gläser aus dem Fensterrahmen in Sigis Zimmer. Ein schwerer Brocken traf die Sprosse des Rahmens. Sie zerbarst. Sigis Hände zitterten. Er drückte sie flach gegen die Wand.

»Ist sicher gar keiner zu Hause, was?«, rief die Stimme wieder. »Los, werft gegen die Tür.«

Donnergepolter drang durch das Haus. Die Ladenschelle schepperte leise. Die Erschütterungen brachten sie zum Klingen. Sigi rührte sich nicht von der Stelle. Da wurde die Tür aufgerissen. Es war Mutter. Sie hatte sich den schwarzen Schal übergeworfen.

»Sigi, Junge, ist dir etwas geschehen?«

»Nein, Mutter, schnell zur Seite. Sie werfen!«

Aber Frau Waldhoff wollte ihn nicht hören und eilte quer durch das Zimmer auf ihn zu. Da traf der Stein sie mitten vor die Stirn. Sie schwankte, hielt sich an der Bettlade, schleppte sich dann aber die paar Schritte zu Sigi hinüber an die schützende Wand. Über die Treppe hörten sie Waldhoff nach unten stapfen.

»Mutter, wo bist du?«, schrie Ruth durch das Haus.

»Bleib, wo du bist, Sigi«, befahl Mutter. »Hier kann dir nichts geschehen.«

Sie lief nun nicht mehr in der Wurfrichtung der Steine, sondern schlich an der Wand entlang. Der Mondschein fiel ihr ins Gesicht. Sigi sah das Blut auf ihrer Stirn. Sie schlüpfte durch die Tür. Er rannte hinter ihr her. »Mutter, du blutest!«

Draußen hatte man seinen Schrei wohl gehört. Jubel war die Antwort. Härter prasselten die Steine gegen die Tür und schlugen durch die Fenster in die Zimmer. »Bleib, wo du bist!«, befahl die Mutter. »Es ist nur eine Schramme.« Das Blut in Mutters Gesicht machte den Jungen ganz wirr. Statt den Schutz der Wand zu suchen, riss er das zerborstene Fensterholz auf, beugte sich weit aus der Öffnung und schrie: »Werft mich doch, ihr gemeines Pack, werft mich doch!«

»Er will eine Rede halten, hört mal«, rief es von unten.

»Ihr gemeines Pack! Ihr gemeines Pack!« Sigis Stimme überschlug sich.

»Der junge Hahn versucht das Krähen.« Lachen und Lärm.

Da riss die Mutter den Jungen zurück. Sie stieß ihn gegen die Wand.

»Dummkopf!«, sagte sie zornig. Doch gleich darauf schloss sie ihn in die Arme. »Dummkopf!«, sagte sie noch einmal. Doch diesmal klang es, als wollte sie ihn trösten. Unten wurde es stiller. Kein Stein flog mehr. Stimmenlärm und Schritte verklangen.

»Hermann war dabei und Mehlbaum«, schluchzte Sigi. »Ich habe sie im Mondlicht genau erkannt.«

»Lass nur, Junge. Komm, wir sehen nach, wo die anderen stecken.«
Ruth hatte die Petroleumlampen angezündet und lief die Treppe
hinunter. Mutter und Sigi gingen ihr nach. Mutters Nachthemd war
mit großen dunklen Blutflecken besudelt. Sie betraten den Laden.
Innen vor der Tür, den Kopf gegen das Holz gelehnt, stand der
Vater. Weit hatte er die Arme ausgebreitet.

»Warum geschieht mir das, gerade mir?«, kam es aus seiner Kehle.
»Ich habe geschuftet, dreißig Jahre lang geschuftet; das Geschäft
habe ich aufgebaut, um jede Mark gehandelt. Nach gutem Vieh lief
ich mir die Schuhsohlen ab, schleppte und schlug die Steine, habe
das Haus gebaut! Sorgte ich nicht für die Familie, schaffte Geld für
Essen und Trinken herbei? Am Sabbat und an den Festtagen betete
ich in der Synagoge. Ich war zufrieden. Ich wollte ja nicht anders
sein als die anderen Menschen: Leben, Arbeit, eine Pfeife Tabak
am Abend und ein bisschen Glück. Warum werde ich aus all dem
herausgezerrt? Warum darf ich nicht leben, wie alle leben? Ich will
kein Schicksal! Ich bin kein Held! Ich konnte nicht vor sie
hintreten. Ich bin kein Held!«

»Geht in eure Zimmer, Kinder«, sagte Mutter. Sie sagte es so, dass
Ruth und Sigi ohne Zaudern gehorchten.

Sigi schüttelte die Glassplitter von seiner Zudecke. Irgendjemand
ging unten auf der Straße vorbei. Sigi lauschte. Er wollte nicht allein
bleiben, lief über den Flur und öffnete leise die Tür zu Ruths
Zimmer. »Ich bin es, Ruth. Bei mir ist die Scheibe heraus.« Er setzte
sich auf ihren Bettrand. Sie schlug ihm die Decke um die Schultern.

»Warum ist Gerd wohl nicht gekommen? Er muss den Lärm doch
gehört haben?«

Das glaubte Sigi auch. Doch versuchte er, die Schwester zu trösten:
»Er hat seine Kammer hintenheraus über der Werkstatt. Vielleicht
hat er es verschlafen.«

Es war noch dämmrig, als Ruth und Frau Waldhoff die Scherben
vom Pflaster fegten. Frau Waldhoff trug einen Verband um die
Stirn. Sigi sammelte die Steine in einen Korb. Es war eine solche
Menge, dass er die Last nicht anheben konnte. Vater nahm den Korb
mit einem Ruck hoch und trug ihn, ohne abzusetzen, in den Hof.
Er ist doch stark, dachte Sigi und freute sich. Einige Männer gingen

zur Arbeit. Die meisten schwiegen und gingen hinüber auf die andere Straßenseite. Aber Mehlbaum konnte es sich nicht verkneifen zu fragen:»Na, fängt der Waldhoff im Suff an zu toben?«

»Du müsstest es wohl wissen! Gerade du!«, antwortete die Mutter. Doch er lachte nur in sich hinein und ging weiter.

Vater lief in die Stadt zu einem Glaser. Niedergeschlagen kehrte er nach einer Stunde zurück.

»Keiner will für uns arbeiten, Hannah, keiner.«

Doch seiner Frau schien das nichts auszumachen.

»Keiner, Bernhard? Du irrst dich. Komm.«

Er folgte ihr über die Treppe in Sigis Zimmer. Der Glaser Koppernagel war gerade dabei, mit dem Glasschneider die Scheibe zu ritzen.

»Hast du ihn bestellt?«, fragte Waldhoff leise. Es war ihm unangenehm, Koppernagel zu sehen, denn er hatte noch nie zuvor bei ihm arbeiten lassen.

Koppernagel richtete sich auf.»Nein, Herr Waldhoff. Ich bin gar nicht bestellt. Ich bin so gekommen. Ich meine, in diesen Teufelstagen müssen doch wenigstens einige . . .« Er schluckte, fand keine Worte mehr, beugte sich über seine Scheibe und schnitt weiter.

»Danke, danke«, sagte Waldhoff nur.


# 14

*I*n diesem Jahr musste die siebte Klasse am Sedanstag wieder die Franzosen darstellen. Das Los hatte es so bestimmt. Die Jungen waren missmutig. Auch dem Lehrer Coudenhoven gefiel es nicht. Er meinte, es sei nicht gut für eine Truppe, wenn sie schon vor Beginn des Kampfes wisse, dass das Ende eine beschämende Niederlage sei. Wenn das gar drei Jahre hintereinander geschehe, dann verliere dieses vaterländische Spiel an Wert, ja, es verkehre sich gar in das Gegenteil. Nicht die kämpferische Ertüchtigung, sondern Unlust am Kampf, das sei das Ergebnis. Das war Wasser auf Fräulein Duttmeiers Mühlen. Verdruss am Krieg, meinte sie, das sei das Einzige, was sie mit diesem Spektakel des Sedanstages einigermaßen versöhne. Das scheine ihr schon rechte Erziehung, wenn man die Jugend zur Tüchtigkeit im Frieden hinleite und nicht das Töten trainiere.

»Es kann der Frömmste nicht in Frieden leben, wenn es dem bösen Nachbarn nicht gefällt«, zitierte Rektor Solle. Doch Fräulein Duttmeier kannte in solchen Fragen nicht einmal Respekt vor der Meinung des Rektors. Sie behielt das letzte Wort und sagte schnippisch: »Vor allem bewundere ich, meine Herren, dass Sie immer so genau wissen, dass das Böse stets beim Nachbarn wohnt. Guten Morgen.«

Vor der Klasse gab sich Herr Coudenhoven fröhlich. Er teilte zunächst einmal für jeden ein Milchbrötchen aus. Alljährlich gab es diese Leckerei am 1. September. Es war ein Geschenk des Kaisers, süß und weich. Dem vereinigten Heere der deutschen Stämme verliehen die Brötchen Kampfesmut und Stärke, den Rothosen, den Franzosen, sollten sie wohl die vorgeschriebene Niederlage versüßen.

»Können nicht die Franzosen diesmal gewinnen, Herr Lehrer?«, fragte Hein Böckeloh.

»Das wäre für uns Deutsche nicht gut, wie?«

»Dürfen wir denn ordentlich raufen?«

»Natürlich sollt ihr tapfer sein, Jungs. In Grenzen natürlich, in Grenzen natürlich.«

»Wer ist denn diesmal Napoleon III.?«

»Hatten wir nicht im vorigen Jahr schon den III. und müssen jetzt den IV. haben?« Viktor Schwer hatte oft Probleme. Doch der Lehrer fegte sie mit einer Handbewegung auch diesmal hinweg.

»Geschichte! Geschichte!«, seufzte er.

»Karl Ulpius soll Napoleon sein«, sagte der dicke Wim. Weil er der Stärkste war, erklärten sich alle einverstanden. »Du bist mein Adjutant«, flüsterte Karl zu Sigi hinüber.

»Klar.«

Sie zogen los, drei und drei nebeneinander wie die richtigen Soldaten. Rote und weiße Wollfäden hatten sie um den Arm gebunden. Wer den Lebensfaden im Kampf verlor, war tot. Das achte Schuljahr sang: »Heute sind wir rot, morgen . . .«, das sechste: »Haltet aus im Sturmgebraus.«

Weil das siebte als Armee Napoleons wohl schlecht Trutz- und Schutzlieder singen konnte, blieb nur »Bruder Jakob, schläfst du noch«, das die Klasse sogar in einer Art Französisch daherkreischte, das aber schon allein deshalb auf keinen Menschen des Nachbarvolkes beleidigend gewirkt haben könnte, weil wohl kein Franzose je auf den Gedanken verfallen wäre, es handele sich hier um seine Muttersprache. »Fräreh Tschakke, fräreh Tschakke, dormeh wuuh . . .«, schallte es durch die Hohe Straße, vor dem Südtor und auch auf dem Grafenberg noch. Bis zehn Uhr hatten die Franzosen Gelegenheit in einer weiten, flachen Sandkuhle die Festung Sedan auszubauen. Dann mussten sie mit den Angriffen der Deutschen rechnen. In diesem Jahr hatten sie einen mächtigen Ringwall aufgeschüttet. Unmengen von Dorngestrüpp lagen im Ring. Die Kleinen standen bereit, es an die Wallseite zu werfen, die den Angriff der achten Klasse zu erwarten hatte. Den anderen waren die von der siebten körperlich wohl gewachsen. Sigi hatte ferner den Rat gegeben, dass alle ihr fein säuberlich aufgefaltetes Butterbrotpapier für die schwere Artillerie spendeten, obwohl es erst Dienstag war und das kostbare Papier doch eigentlich bis Samstag seine Dienste tun musste. Diese Papiere füllte er mit feuchtem Sand und drehte sie zu Bomben. Kurz vor zehn war alles bereit. Lehrer Coudenhoven setzte sich an den Rand der Sandkuhle. Während seine Kollegen die siegreichen Generale spielten, an ihrer Spitze Rektor Solle als eiserner Kanzler, hielt er es unter seiner Würde, etwa einen Verlierergeneral zu mimen. Was sollten die Jungen von ihm denken?

Er bemerkte, dass »dieser Ulpius« geschickt seine Mannen gruppierte. Schon marschierten die Deutschen heran, schlossen einen Ring um die Feste Sedan und warteten auf das Zeichen zum Sturm. Solle hatte das achte Schuljahr in diesem Jahr an die Steilböschung geschickt. Mit einem Sturmlauf wollten sie die Festung überrennen. Die kleineren Schüler stellten sich an der sanfter abfallenden Seite auf.

Jetzt tat Rektor Solle es dem von ihm verehrten Reitergeneral von Ziethen gleich, warf eine eigens für diesen Zweck vom Martinstag aufbewahrte Tonpfeife in die Luft und schrie: »Drauf und dran!«

Mit »Hurra! Hurra!« stürmten die Jungen dem Ringwall zu. Doch schon beim ersten Angriff erwies es sich als Fehler, den Großen den Steilhang zum Anlauf zuzuweisen. Sie kamen ins Rutschen, fielen, rollten den Hang hinab und wurden in dieser Lage von dem Dornengestrüpp der Franzosen empfangen, verhedderten sich darin, schimpften und kamen nicht recht vorwärts. Unterdessen hatte Napoleon III. einen Ausfall gegen die Kleineren befohlen, hastig rissen die Jungen den Preußen die Lebensfäden vom Arm und verloren nur Peterken Bosshage, der aber sowieso nur als halbe Portion angesehen wurde.

Solle blies zum Rückzug. Er änderte die Angriffstaktik. Wie im siegreichen Vorjahr sollten nun die Großen von der anderen Seite her angreifen. Der Sturm begann. Doch diesmal setzte Napoleon seine Artillerie ein. Auf den Sandhagel waren die Deutschen nicht gefasst. Er brachte Verwirrung in die Reihen. Fast wäre ihnen der Einbruch dennoch gelungen, weil Siegfried Wolter, der seinen Lehrer noch um Haupteslänge überragte, sich nicht an Sand und Papier störte. Er stand unversehens auf dem Wall. Doch da sprang Sigi ihn an und zerriss seinen Lebensfaden gerade in dem Augenblick, als er die Kriegsflagge, ein rotes Taschentuch an einem Fichtenstock, in den Sand pflanzen wollte.

Rückzug. Rektor Solle tröstete seine Helden. Schließlich sei Sedan ja auch nicht an einem Tag gefallen. Er gestattete zunächst eine Butterbrotpause. Fräulein Duttmeier setzte sich auf ihr Taschentuch neben Herrn Lehrer Coudenhoven.

»Finden Sie das denn nun so furchtbar, wenn die Jungen sich austoben?«, stichelte er.

»Das Spiel ist sicher eine richtige Jungensache. Sehen Sie sich nur die Augen an. Die Backen!«

»Na, was stört Sie denn?«

»Mich ärgert es, wie der Hass großgezüchtet wird. ›Die Franzmänner‹, rufen die Jungen, hören Sie doch nur. Und wie sie es rufen! Die einen halten die Franzosen allesamt für Feiglinge, verabscheuenswerte Elemente, denen man eins draufgeben müsse. Die anderen, die heute die Franzosen spielen müssen, sind vielleicht noch erbitterter darüber, dass es so etwas wie Franzosen überhaupt gibt auf der Welt. Das stört mich.«

Coudenhoven legte es darauf an, Fräulein Duttmeier zu reizen, und sagte: »Immerhin sind die Franzosen unsere Feinde.«

»Das stört mich allerdings noch mehr, Herr Kollege, dass Sie zwanzig Jahre nach dem Krieg noch so von einem Nachbarvolk denken.«

»Was kann schon Gutes von den Welschen kommen, Fräulein Duttmeier?«

»Ach, hören wir auf zu streiten. Sie wissen doch so gut wie ich, was die Franzosen in die Weltgeschichte eingebracht haben. Darin können sie sich mit uns gewiss messen.«

»Sie reden so anders als die meisten, Fräulein Dutt.« Herr Coudenhoven erlaubte sich die liebevoll gemeinte Kurzform ihres Namens.

»Anders oder nicht, Coudi, es kommt doch wohl darauf an, was richtig ist, oder?«

»Einverstanden«, seufzte er. Gegen dieses Frauenzimmer war einfach nicht anzukommen. Gerade das reizte ihn oft, ihr auch wider besseres Wissen zu widersprechen.

Aus der Grube klang plötzlich lautes Kampfgeschrei. Was war das? Die Pause der Deutschen war ja noch gar nicht zu Ende? Lehrer Coudenhoven sprang auf. Was stellten denn seine Franzmänner da an? Sie stürmten wie ein Keil in die mit dem Proviant beschäftigten vereinigten deutschen Truppen hinein. »Geschichte! Geschichte!«, schrie Herr Coudenhoven, eilte den Hang hinab und pfiff mit der Trillerpfeife den Angriff zurück, der den Franzosen bestimmt den Sieg gebracht hätte, weil er so völlig unerwartet und ganz gegen die Regel über die Preußen gekommen war. Mit hängenden Köpfen saßen die Franzosen schließlich wieder in ihrer Wallburg. Der Lehrer hielt ihnen eine Standpauke, die mit der entrüsteten Frage endete: »Wer war eigentlich der kluge Junge, der sich das ausgedacht hat?« Napoleon III. trat vor. Einen Augenblick zögerte sein Adjutant. Dann stellte er sich neben den Freund. »Wir«, sagte er.

»Soso«, sagte der Lehrer. Er war recht froh, dass in diesem Augenblick ohne weiteren Angriff die Aufforderung zur Übergabe Sedans gebracht wurde. Napoleon nickte, als Lehrer Coudenhoven scharf sagte: »Nun?«

Die Franzosen wurden in die Gefangenschaft geführt. Aber bei den

Deutschen wollte sich diesmal keine rechte Siegesfreude einstellen. Auf dem Schulhof fand die Schlussfeier statt. Gedichte, Lieder, Gedichte. Und die Ordensverleihung. Zum ersten Male sollten auch zwei Franzosen ausgezeichnet werden. Das hatte Fräulein Duttmeier durchgesetzt. So standen vor der angetretenen Schülerschar sieben Preußen, darunter der lange und wieder lebendige Siegfried Wolter, und auch Napoleon III. und sein Adjutant. Fräulein Duttmeier reichte dem Rektor die roten und blauen Auszeichnungen. Als Sigi seinen Stern aus der Hand des Rektors in Empfang nahm, trat plötzlich Siegfried Wolter vor und sagte: »Herr Rektor, ich will keinen Orden, den der Judenbengel auch bekommt.«

Rektor Solle war schockiert. Was erlaubte sich dieser Wolter?

»Mein Vater hat gesagt, es sei eine Schande, dass der Judenbengel überhaupt noch in unsere Schule gehen darf!« Damit warf er den Orden in den Korb zurück. Wie auf Befehl taten es die anderen Jungen ihm gleich.

Nur Karl heftete sich den Orden auf die Brust.

Sigi stand da, die Tränen in den Augen, den Stern drehte er unschlüssig in der Hand.

»Ich will es nicht, ich will es nicht«, flüsterte er leise.

Da ging Fräulein Duttmeier mit kurzen, schnellen Schritten zu Siegfried Wolter hinüber. Sie reichte ihm kaum bis zur Schulter.

»Dann nimm dies, du Flegel«, sagte sie ruhig und gab ihm eine schallende Ohrfeige.

Siegfried Wolter lief vom Hof. Zwar rief der Rektor noch: »Halt, bleib stehen! Halt, bleib stehen!« Doch schon war er fort.

Herr Coudenhoven ließ das Lied »Der Kaiser ist ein lieber Mann« anstimmen, und schnell beschloss der Rektor den Sedanstag. Das Hurra fiel dünn aus. Er brauchte nicht viel Fantasie, um sich auszumalen, was nun folgen würde. Und es folgte. Die Eltern beschwerten sich. Doch eigenartigerweise fand der Bauer Wolter wenige Bundesgenossen, die es auf Fräulein Duttmeier abgesehen hatten. Der ganze Ärger entlud sich über Sigi Waldhoff. Nach drei Tagen bereits erhielt Herr Waldhoff den Bescheid, dass es nicht mehr tunlich sei, seinen Sohn ferner in die hiesige Volksschule zu schicken. Sigi war vom Unterricht »bis auf Weiteres« ausgeschlossen.

# 15

*W*illst du mal die Zügel halten?«, fragte Carlos Pfingsten. Sigi hatte sich das schon während der Hinfahrt gewünscht und antwortete: »Ich kann Pferde lenken, Carlos. Ich habe es schon oft beim Bauern Blümer tun dürfen.«

»Umso besser. Aber halt die Zügel fest in den Händen. Die Braunen haben Feuer.«

»Ja, das ist wahr.«

Am frühen Morgen waren Waldhoff und Sigi bereits mit den Pfingstens losgefahren. Sigi saß vorn auf dem Bock neben Carlos. Waldhoff und Herr Pfingsten hatten das Verdeck der leichten Kutsche zurückgeschlagen. Sigi nahm die Lederzügel in die Hände. Er schnalzte mit der Zunge, wie er es von Carlos gehört hatte, und schnackte die Zügel leicht auf die Pferderücken. Die Braunen fielen willig in einen leichten Trab. Erst als die Straße bergan führte, ließ er sie wieder langsamer gehen.

»Du kannst es wirklich«, lobte ihn Carlos. »Ich setze mich ein wenig zu den Männern. Wenn ein Fahrzeug entgegenkommt, dann rufst du mich, klar?«

»Klar.« Carlos sprang vom Bock und schwang sich in den Kutschsitz.

»Na, Sigi, schaffst du es allein?«, fragte Herr Pfingsten.

»Er schafft es«, antwortete Carlos für ihn.

Die Räder rollten in der ausgefahrenen Spur eines breiten Sandweges. Sigi konnte verstehen, was hinter ihm gesprochen wurde.

»Es ist eine Riesendummheit, Waldhoff, was dort auf dem Markt geschehen ist.«

»Was meinst du, Vater?«, fragte Carlos.

»Na, dass die jüdischen Viehhändler diese Plakate an ihren Ständen ausgehängt haben.«

»Was stand eigentlich darauf?«, fragte Waldhoff.

»Israeliten kaufen nicht bei Bauern, die gegen Waldhoff hetzen«, gab Carlos Auskunft.

»Wie unser Name überall herausgeschrien wird, das passt mir gar nicht.«

»Viel schlimmer ist es, Waldhoff, dass es jetzt so aussieht, als ob wir Juden auch den Kampf der unsinnigen Fronten, hie Jude – hie Deutscher, aufnehmen wollten. Sind wir keine Deutschen, keine Bürger dieses Landes? Warum das alles? Nur weil man sagt, weil man gehört hat, weil man meint! Dieses ›man‹ macht uns alle verrückt.«

»Wenn nur erst der Kriminalkommissar Hundt aus Berlin käme«, sagte Carlos. »Der würde schon Licht in diese Affäre bringen.«

Kakabe, dachte Sigi.

»Nun, der wird nicht mehr lange auf sich warten lassen«, sagte Herr Pfingsten. »Ich habe an das Ministerium geschrieben und versichert, dass wir bereit sind, der Regierungskasse alle Unkosten zu ersetzen, die durch die Aufklärung der Mordaffäre entstehen. Die Antwort aus Berlin war zustimmend.«

»Wissen Sie denn etwas Genaueres?«, fragte Waldhoff begierig.

»Nach den Ausschreitungen auf dem Grafenberg und vor allem nach dem Überfall auf Ihr Haus muss der Minister etwas unternehmen. Die Zeitungen berichten ja fast jeden Tag vom ›Fall Waldhoff‹. Ich habe so etwas läuten hören, als ob in dieser Woche noch die Ermittlungen von Berlin in die Hand genommen werden.«

»Der Kommissar, der den Mord bearbeitet, wird Herrn Hundt alles übergeben.«

»In erster Linie hat er ja mich bearbeitet und nicht den Mord«, spottete Waldhoff bitter.

»Sie sehen nur einen Teil seiner Arbeit, Waldhoff«, antwortete Herr Pfingsten. »Ich weiß, dass er vielen Spuren nachgegangen ist. Ein Steckbrief soll bei der Suche nach den Landstreichern helfen. Ich habe ihn gelesen. Auch einen verrückten Vetter der Frau Seller hat er in den Kreis der Verdächtigen einbezogen, weil der schon öfter Drohungen gegen Sellers ausgestoßen hat. Viele Spuren, Waldhoff. Man sagt vom Kommissar Hundt, er habe eine feine Witterung für heiße Spuren.«

»Hoffentlich nützt die ganze Mühe etwas.« Zweifel lag in Waldhoffs Stimme.

Nach einer Weile fuhr er fort: »Ich habe, offen gestanden, daran gedacht, aus der Stadt wegzuziehen. Heute habe ich hier mit Verwandten geredet. Die wollen uns ein paar Zimmer überlassen.«

»Sieht das nicht wie Flucht aus, Waldhoff?«, fragte Herr Pfingsten.

»Es ist auch eine, Herr Pfingsten. Ich halte das alles nicht aus. Meine Familie geht vor die Hunde. Keiner kann mehr mit uns sprechen, oder es geschieht ihm Böses. Gerd Märzenich, unser Nachbar, hat keinen einzigen Auftrag mehr in seiner Kupferschmiede, nur weil er aussagt, was er weiß, nämlich dass er in der Zeit, als der Mord geschehen sein muss, mit mir zusammen in unserem Wohnzimmer gesessen hat. Keinen einzigen Auftrag mehr, Herr Pfingsten!«

»Das wollten die Juden heute durch ihre Plakate mit gleicher Münze heimzahlen«, sagte Carlos. Es klang, als ob er ganz damit einverstanden sei, dass die Juden sich wehrten.

»Junge, Zahn um Zahn, das ist eine Sache. Den Kopf kühl behalten und den Verstand gebrauchen, das ist eine andere. Wohin soll uns das führen? Wenn Menschen immer mit gleicher Münze heimzahlen, dann haben wir die Hölle auf Erden.«

»Aber sollen wir denn nur immer stillhalten, den Rücken beugen und uns alles bieten lassen?«, empörte sich Carlos.

»Das Recht, Junge, das Recht und die Wahrheit, die setzen sich durch. Aber Geduld braucht man, um Recht und Wahrheit mit reinen Händen empfangen zu können.«

»Warten. Immer warten! Jahrhundertelang warten wir schon.«

»Du vergisst, Junge, dass vom Beginn dieses Jahrhunderts an den Juden das Recht nicht verwehrt wird.«

»Wie man hier sieht. So hat sich Hardenberg die Gleichheits-gesetze bestimmt nicht gedacht«, antwortete Carlos bitter. Er kletterte wieder zu Sigi hinauf.

»Wir müssten aus diesem Land hinaus«, flüsterte er Sigi zu. »Ein eigenes Land sollten wir bauen, ein neues Zion.« Sigi wusste nicht, was er darauf antworten sollte. Er hatte die Stadt gern. Sein Freund lebte hier. Er fühlte sich zu Hause am Strom, im Schatten der Großen Kirche.

»Was willst du werden, wenn du aus der Schule kommst?«

»Steinmetz.«

»Gut. Sehr gut. Steinmetze werden wir brauchen.« Carlos nahm Sigi die Zügel wieder aus der Hand, als sie sich den Häusern näherten. Die Waldhoffs bedankten sich für die bequeme Fahrt und liefen das letzte Wegstück bis in die Mühlenstraße. Der Vater schien zuversichtlicher, seit er sicher war, dass in Neuß ein Notquartier für sie bereitstand. Frau Waldhoff sah sie kommen und schüttete Kaffee auf. Noch während Waldhoff berichtete, klingelte die Ladenschelle. Ruth kam in die Küche und sagte: »Da ist ein Herr. Er will euch sprechen.«

»Führe ihn ins Wohnzimmer«, befahl Waldhoff und wunderte sich. Sie gingen hinüber. Vor dem Fenster stand ein schmaler, hohlwangiger Mann. Sein Anzug war ein wenig salopp. Er trug eine randlose Brille. »Darf ich mich vorstellen?«, fragte er höflich, verbeugte sich und sagte: »Hundt. Ich bin der Kriminalkommissar, den der Minister schickt. Aus Berlin komme ich.« Er reichte Waldhoff die Hand und begrüßte auch Frau Waldhoff, Ruth und Sigi. »Kakabe«, murmelte Sigi.

»Herr Waldhoff, die Leute hier scheinen das Urteil nach allem, was ich bisher hörte, bereits gefällt zu haben. Verlassen Sie sich darauf, dass ich diese Angelegenheit in allen Einzelheiten untersuche.«

»Bitte, setzen Sie sich.«

»Nein danke. Ich darf Sie morgen um zehn Uhr ins Amtsgericht bitten, damit Sie mir noch einmal alles genau berichten können.«

»Ich kenne den Weg bereits.«

»Allerdings. Allerdings. Noch eins, übrigens: Erschrecken Sie bitte nicht, wenn gleich drei Beamte hier aufkreuzen, die eine Haussuchung vornehmen. Es muss sein, wissen Sie.«

»Sie werden mir doch nicht das ganze Haus auf den Kopf stellen?«, fragte Frau Waldhoff ängstlich.

»Ich habe die Leute angewiesen, sorgfältig vorzugehen«, beruhigte der Kriminalkommissar sie.

»Was suchen Sie denn, Herr Kommissar? Was wollen Sie finden in diesem Haus?«

»Nichts Bestimmtes, Frau Waldhoff. Machen Sie sich keine überflüssigen Sorgen. Wenn Ihr Mann unschuldig ist – und für mich ist er so lange unschuldig, bis ich das Gegenteil beweisen kann –, dann kann Ihnen doch diese Haussuchung nur helfen.«

Frau Waldhoff wandte sich ab.

»Am besten, wir beginnen gleich«, sagte der Kommissar, öffnete das Fenster und gab den drei Männern einen Wink. Den einen kannten sie. Es war der Ortspolizist. Die anderen waren wohl von auswärts gekommen.

Drei Stunden lang suchten sie im Haus, im Keller, in den Kammern, auf dem Speicher, in der Werkstatt. Der Kommissar fasste nichts an, aber er wich nicht aus dem Haus. Schließlich setzte er sich in den Laden und steckte sich eine lange, sehr dünne Zigarre an. Sigi blieb bei ihm. Alle Messer, die gefunden wurden, ließ er auf die Ladentheke legen. Insgesamt waren es achtzehn größere und mittlere Schlachtmesser. Da erinnerte sich Sigi an sein Taschenmesser. Es musste in der Werkstatt beim Angelzeug liegen. Es fiel ihm schwer, langsam ins Hinterhaus zu gehen. Die Werkstatt war noch nicht durchsucht. Da, auf dem unbehauenen Stein lag es. Sigi ließ es in seine Tasche gleiten und kehrte zu Kakabe zurück.

»Mein Freund will auch Polizist werden«, versuchte er, ein Gespräch zu beginnen.

»Schöner Beruf, Junge. Schön, wenn man sieht, wie Verstand und Ordnung über Verbrechen siegen.«

»Immer?«

»Nein, das nicht, das nicht. Hier zum Beispiel ist es ziemlich schwierig, die Wahrheit herauszuschälen. Aber gerade solche Fälle reizen mich. In Berlin nennen sie mich Nussknacker.«

»Haben Sie auch als Ortspolizist angefangen?«

»Nicht so, wie du dir das vorstellst, Junge. Ein langes Studium ist nötig, je länger, je besser.«

»Oje! Da wird Karl sich freuen.«

Aufgeregt kam ein Polizist gelaufen. Er zeigte dem Kommissar einen Sack. Der warf einen Blick darauf und betastete mit den Fingerspitzen die dunklen Flecke.

»Was ist das für ein Sack, Junge?«

Sigi trat zu ihm ins Licht. Ihm kam der Sack zwar bekannt vor, aber er konnte sich nicht besinnen, wozu er gebraucht wurde.

»Sieht aus wie alte Blutflecken, wie?«, murmelte der Kommissar.

»Fragen Sie Vater. Der wird es wissen.«

»Hol ihn her.«

Waldhoff saß im Wohnzimmer.

»Er hat einen Sack gefunden, Vater. Einen Sack voller Blutflecke.«

95

Waldhoff sprang auf. »Blut?«

Erregt lief er in den Laden. Der Kommissar wies auf den Sack. Er hatte ihn auf die Fensterbank gelegt. Als Waldhoff danach griff, hielt er ihn zurück. Waldhoff betrachtete den Sack genau.

»Es ist mein Räuchersack.«

»Räuchersack? Erklären Sie.«

»Nun, er wird über die Tonne gelegt, wenn das Fleisch geräuchert wird.«

»Aber die Flecke?«

»Das Salzwasser färbt sich rot, wenn das Fleisch darin gelegen hat. Dazu kommt der Rauch. Das mag wohl solche Flecke geben.«

»Wo haben Sie den Sack entdeckt, Wachtmeister?«

»In der Küche im Schrank lag er. Ganz zuunterst unter anderen Tüchern und Säcken hat er gelegen.«

»Hatten Sie den Eindruck, dass er versteckt worden war?«

»Warum soll ich meinen Räuchersack verstecken?«, fragte Waldhoff empört.

Der Polizist überlegte einen Augenblick und antwortete zögernd: »Versteckt kann man eigentlich nicht sagen.«

»Gut. Wir machen Schluss. Den Sack und die Messer nehmen wir einstweilen mit.« Er nahm einen Block aus seiner Tasche und schrieb eine Quittung aus über »18 Stück Schlachtmesser verschiedener Größe und Qualität und 1 Stück Sack (angeblich Räuchersack)«.

Die Polizisten waren schon auf die Straße hinausgetreten, da reichte er Waldhoff die Hand und fragte scheinbar ganz nebenbei: »Hat Ihnen nicht der kleine Jean neulich einen Grabstein verdorben?«

»Verdorben?«, antwortete Waldhoff verblüfft. Dann erinnerte er sich: »Er hat mir einmal von der Schrift eine kleine Ecke abgeschlagen. Ich habe mit ihm geschimpft. Aber es war nur ein kleiner Schaden. Mit ein paar Schlägen hatte mein Arbeiter Schloters ihn behoben.«

»Ach«, sagte der Kommissar, »es wurde behauptet, Sie hätten dem Jungen gedroht, ihm den Hals abzuschneiden. Aber das haben Sie sicher nur so dahingesagt, wie?«

Sigi erkannte die Falle.

Der will uns auch etwas, dachte er. Der will uns nicht helfen. Der will nur beweisen, was die Leute uns anhängen.

Waldhoff tappte blind in den Hinterhalt. »Mag schon sein, dass ich
es so gesagt habe.«

Der Kommissar tippte an den Hutrand und ging hinaus. »Bis
morgen um zehn dann, Herr Waldhoff.«

# 16

Sigi fand, dass die Holzbank auf die Dauer ziemlich hart war. Um
zehn waren Vater und er zum Amtsgericht bestellt worden. Bereits
eine Viertelstunde vor der Zeit hatten sie sich beim Gerichtsdiener
gemeldet und waren in dieses kahle Zimmer gewiesen worden,
dessen einzige Möbel ein blank gescheuerter Tisch und eine Bank
waren. Ein »Nicht auf den Boden spucken«-Schild in schmalem
schwarzem Rahmen diente als Wandschmuck.

Längst war der Gerichtsdiener wieder verschwunden. Immerhin hatte
er eine Neuigkeit erzählt, die Waldhoff ein wenig Mut gemacht hatte.
Henner Dreitek, einen der beiden Landstreicher, die am Mordtag in
der Mühlenstraße gesehen worden waren, hatte die Polizei ermittelt.
Es sei ein langes Verhör gewesen. Kriminalkommissar Hundt habe
durch ihn auch den Namen seines Kumpans erfahren. Jan Maaris
heiße er. Kommissar Hundt sei deshalb scharf hinter Jan Maaris her,
weil Henner Dreitek ausgesagt habe, dass er sich am Vormittag des
betreffenden Peter-und-Pauls-Tages in der »Herberge zur Heimat«
draußen am Stadtrand aufgehalten habe, dass aber Jan Maaris wohl in
der Stadt umhergestreift sei. Erst gegen zwei Uhr seien sie
aufgebrochen. Die Wirtsfrau, die den Landstreichern Quartier
gewährte, habe die Aussagen von Henner bestätigt. Aber ob man
einen so gerissenen Kerl je fände?

Waldhoff hatte vor sich auf dem Tisch die Zeitung ausgebreitet.
Doch Sigi merkte, dass er nicht las. Seine Augäpfel standen still.
Dann und wann schien er aus seinen Gedanken aufzuwachen. Er

blätterte dann müde, versank bald darauf jedoch wieder in dumpfes Brüten. Was sollte er gleich sagen, was sollte er verschweigen?

Ein dicker blauer Brummer surrte durch das Zimmer. Jedes Mal, wenn er in die Nähe der Fenster kam, stieß er gegen das Glas. Er wollte der Gefangenschaft entrinnen. Der Gerichtsdiener öffnete endlich die Tür und sagte: »Waldhoff, bitte.«

Durch den langen, geweißten Flur schritt er voran. Waldhoff und Sigi folgten ihm. Die letzte Tür führte in Kakabes Zimmer. Sigi hätte den Weg allein und im Dunkeln gefunden.

Die Tür öffnete sich. Gerd Märzenich trat heraus. Er schien zu zögern, als er Waldhoff erkannte. Er schaute sich um. Doch es gab keinen anderen Weg.

»Guten Tag, Gerd«, grüßte Waldhoff ihn.

»Tag auch«, murmelte Märzenich und drückte sich an den Waldhoffs vorbei.

Na, den hat der Kommissar ganz schön fertiggemacht, dachte Sigi. Der Gerichtsdiener hielt die Tür weit auf.

»Bitte, hier«, sagte er.

Sigi betrat nach Vater den Raum. Akten türmten sich in Regalen bis hoch unter die Decke. Durch ein hohes, schmales Fenster fiel Licht auf den Schreibtisch. Die Sonne umspielte Kakabe. Er war in ein Schriftstück vertieft und las es ganz langsam. Seine Lippen formten lautlos Wort für Wort. Er schüttelte leicht den Kopf, tauchte die Feder ein und unterschrieb schließlich. Sorgfältig lochte er die Blätter und ordnete sie in einen Aktendeckel.

Sigi suchte mit den Augen das Regal ab. Im dritten Fach, vom Schreibtisch aus leicht zu erreichen, klaffte in der Aktenwand ein Spalt. Er hat unsere Akte, dachte er.

Kakabe schaute auf. Waldhoff und Sigi standen neben der Tür. Der Vater drehte den Hut in der Hand.

»Ach, Waldhoff, guten Morgen.«

»Guten Morgen, Herr Kommissar.«

Wieder schienen die Gedanken des Kommissars weit weg zu fliegen. Dann aber erhob er sich, steif vom langen Sitzen, und sagte: »Waldhoff, setzen Sie sich doch, dort auf den Stuhl am Fenster.«

Er kam auf Sigi zu, blieb so dicht vor ihm stehen, dass Sigi auf der

Münze an seiner Uhrkette die Schrift lesen konnte: »Justitia, Mutter des Friedens.«

»Du, mein Junge, du gehst jetzt nach Hause. Dich brauche ich heute nicht mehr.«

Kakabes Hand lag leicht auf Sigis Schulter. Aber was er sagte, fiel schwer auf ihn, obwohl er es nicht recht verstand.

»Deine Mutter wird dich sehr brauchen, weißt du.«

Dann schob er den Jungen zur Tür hinaus.

Sigi rannte los. Vielleicht konnte er Gerd noch einholen. Der würde ihm sagen können, was das alles zu bedeuten hatte. Aber Gerd war schnell gegangen. Er traf ihn erst am Markt. Dort stand er mit einigen anderen Männern. Einer schlug ihm auf den Rücken und sagte: »Endlich!« Sigi trat hinzu. »Gehst du nach Hause, Gerd?«

Märzenich schaute über die Schulter hinweg auf ihn herab. Sein Gesicht spiegelte Verlegenheit. Dann besann er sich darauf, dass er nicht mit Sigi allein war, und sagte höhnisch von oben herab: »Für dich, Rotzbengel, immer noch ›Herr Märzenich‹, klar?«

Sigi konnte sich auf diese Antwort keinen Reim machen. Doch da stieß ein Mann aus dem Kreise ihn gegen die Schulter und sagte scharf: »Verschwinde, Judengör, verschwinde schnell! Sonst machen wir dir Beine.«

Sigi lief davon. Wollten ihn denn alle verlassen? Stießen sie ihn alle herum? Er würde sich das nicht gefallen lassen. Sie sollten schon sehen! Er gab nicht klein bei wie der Vater. Er wollte es ihnen schon zeigen.

Zwei kleine Jungen standen auf der anderen Seite auf dem Bürgersteig vor Pfingstens Laden.

»Guck mal da, Ditz«, rief der eine, »da rennt der aus dem Mörderhaus.«

Sigi überquerte die Straße. Wut machte ihn blind. Er stürzte sich auf den kleinen Jungen, der ihm erschrocken und starr entgegensah. Blitzschnell trafen den Kleinen die Fäuste gegen die Brust, auf den Rücken.

Er schrie laut, aber Sigi schlug weiter auf ihn ein.

»Er macht ihn tot! Er macht ihn tot!«, schrillte die Stimme des anderen.

Da riss eine Frau Sigi zurück. Seine Wut war mit einem Male verraucht. Der kleine Junge lief heulend davon. Schlaff hing Sigi in den Händen der Frau. Sie schüttelte ihn hin und her und schrie auf ihn ein. Eine Ohrfeige traf ihn. Doch selbst den Schmerz fühlte er nur wie durch eine Wand von Watte. Menschen hatten sich angesammelt. Die Frau ließ ihn plötzlich los. Sigi taumelte gegen das Schaufenster.

»Wenn ich ihn nicht weggerissen hätte, ich glaube, er hätte das kleine Kind totgeschlagen.« Ein Mann stellte sich vor Sigi: »Das mach mir nicht noch einmal, Bürschchen!« Er packte Sigi vorn an der Jacke und zog ihn dicht zu sich heran. »Rühre mir nicht noch einmal ein Kind aus der Stadt an, du Miststück.«

Die Ladentür öffnete sich. Herr Pfingsten trat heraus.

»Was gibt es, Leute?«

»Er hat ein Kind totschlagen wollen.«

»Er hat sich auf einen kleinen Jungen gestürzt«, sagte der Mann und ließ Sigi wieder frei.

Herr Pfingsten wandte sich an Sigi: »Was hat er dir getan?«

Da heulte Sigi los, klammerte sich an Herrn Pfingsten und verbarg sein Gesicht in dessen Rock.

»Ja, jetzt kann er heulen«, schimpfte der Mann.

»Ich werde mir Sigi vorknöpfen«, versprach Herr Pfingsten und schob den Jungen in den Laden.

Die Leute zerstreuten sich erst nach einer ganzen Weile. Hinter dem Laden befand sich ein schmales Büro. Dort hatte Herr Pfingsten Sigi in einen Sessel gedrückt. Er selbst rückte sich einen Stuhl heran.

Er ließ dem Jungen Zeit. Schließlich sagte Sigi: »Ich lasse mir nicht alles gefallen. Alle hacken sie auf mir herum. Alle schimpfen sie. Der Kleine auch. Ich habe es gehört. ›Der kommt aus dem Mörderhaus!‹, hat er über die Straße gerufen. Ich lasse mir nicht alles gefallen.«

»Niemand braucht alles einzustecken. Aber der Kleine tut mir leid. Du hast es ihm arg gegeben, nicht?«

»Ja, ich habe es ihm gegeben.«

»Ob er es wohl verdient hat, Sigi?«

»Er hat mich beschimpft! Alle sind gegen mich.«

Die Ladenschelle rief Herrn Pfingsten ins Geschäft. Doch bevor er sich erhob, sagte er: »Es gibt ein Sprichwort, Sigi. Denk einmal darüber nach: Den Esel meint man, und den Sack schlägt man.« »Blödes Sprichwort«, knurrte Sigi. Doch zugleich wurde ihm klar, wie gut es passte. Trotzdem wiederholte er trotzig: »Blödes Sprichwort.«

Er beruhigte sich allmählich wieder. Der Sessel war schön weich. Er versank fast ganz darin. Vom Rücken und von den Seiten schloss er ihn warm ein. »Ob sie mir wohl etwas tun, wenn ich gleich nach Hause gehe?«

Er hörte die Ladentür. Bald darauf knarrten die drei Stufen, die in das Büro führten. Herr Pfingsten kam zurück. »Na, mein Junge, es stimmt doch, was das Wort sagt, oder?« Sigi zuckte die Achseln. »Du musst jetzt nach Hause gehen, Sigi. Aber eins will ich dir noch mit auf den Weg geben: Immer dann, wenn der Verstand zu kurz ist, dann schlägt die Faust zu.«

Er fasste Sigi unters Kinn. Sigis Augen wanderten allmählich über Herrn Pfingstens Bauch, die breite rote Krawatte empor, verharrten ein wenig auf den drei Stufen des Doppelkinns und trafen dann die Augen des Mannes, dunkle Spiegel in einem Kranz von Fältchen. »Du solltest dich auf die Seite des Verstandes stellen, Junge. Fäuste können vielleicht stumm machen und überwältigen. Aber der Verstand überzeugt!«

In Pfingstens Augen brannte eine Flamme. Sigi musste den Blick senken. »Ja, Herr Pfingsten.«

»So, dann lauf. Hör nicht auf dumme Reden. Dann verstummen sie am schnellsten.«

»Ja, Herr Pfingsten.«

Auf der Straße beachtete ihn niemand. Zwar blickte er sich mehrmals um, doch keiner verfolgte ihn. Vater war noch nicht zu Hause. Sie warteten vergeblich eine Weile mit dem Essen auf ihn. Ohne Vater schmeckte es nicht recht. Sigi half Ruth beim Abwaschen.

»Wirst du krank?«, fragte sie.

»Dummes Huhn«, knurrte er und fing sich dafür einen Schlag mit dem feuchten Spültuch.

»Streitet nicht«, mahnte die Mutter.

Später arbeitete Sigi ein wenig in der Werkstatt. Er hatte einen faustgroßen Marmorbrocken von Vater geschenkt bekommen und meißelte vorsichtig daran herum. Ein Geschenk für Karl wollte er aus dem Stein schlagen. Doch fehlte ihm heute die ruhige Hand. Nach zwei Fehlschlägen gab er es auf. Wann kam Vater endlich? Wollte der Kommissar ihn denn gar nicht laufen lassen?

Sigi ging zur Uhr und zog das Gewicht hoch. Fast drei Uhr. Er trat vor die Tür und setzte sich auf den Treppenstein. Um die Ecke bog ein Junge. Er rannte schnell. Sigi erkannte Karl. Atemlos hetzte er heran. Er zog Sigi am Ärmel und keuchte: »Komm herein.«

Sigi folgte in den Laden. Er hatte nicht mehr so schnell nach der Schelle greifen können. Sie schepperte, und Mutter eilte aus der Küche herbei. »Frau Waldhoff, Sigi, sie bringen ihn. Sie haben ihn verhaftet. Der Wachtmeister bringt ihn. Er muss jetzt am Markt sein.«

»Vater?«, rief Sigi.

»Ja. Sie werden gleich hier sein. Ich sah sie kommen und bin sofort hergerannt.«

Frau Waldhoff ließ sich auf den Hocker gleiten. Sie schlug die Hände vor das Gesicht. Dann raffte sie sich auf und sagte vor sich hin: »Ich muss ihm seine Sachen fertig machen, ich muss ihm seine Sachen fertig machen.«

»Woher weißt du, dass sie ihn verhaftet haben, Karl?«

»Ich habe es gesehen. Der Wachtmeister geht keine zwei Schritte hinter ihm her und lässt ihn nicht aus den Augen.«

»Ach, vielleicht irrst du dich.«

»Nein, Sigi. Vater hat mir erzählt, dass es schlimm steht.«

»Ja, aber warum denn auf einmal?«

»Hast du nicht gehört, dass Gerd Märzenich seine Aussage geändert hat?«

»Geändert? Was kann er an der Wahrheit ändern?«

»Vater hat es von ihm selbst gehört. Er streut es auf dem Markt aus. Er hat sich geirrt, sagt er. Er kann sich doch nicht mehr so genau daran erinnern, an welchem Tag er bei euch gesessen hat. Ob es nun der Peter-und-Pauls-Tag oder der Sonntag war, er wisse es nicht mehr genau, sagt er.«

Vater öffnete die Tür. Ängstlich schaute Sigi ihn an. Doch Vater war nicht niedergeschlagen. »Kommt ins Wohnzimmer«, sagte er.

Dann wandte er sich zurück und sprach den Wachtmeister an, der in der Tür stand, die linke Hand hinter das Koppel gesteckt: »Sie können ruhig mitkommen, Wachtmeister.«

Sigi, Ruth und Mutter standen um den Wohnzimmertisch. Karl blieb an der Tür neben dem Wachtmeister stehen.

»Es ist ganz gut, dass es so gekommen ist«, begann der Vater. Seine Stimme klang unbeschwert.

Fast so wie früher, dachte Sigi.

»Jetzt gibt es bald eine Verhandlung und ein Urteil. Dann wird jeder sehen, dass wir mit der ganzen bösen Geschichte nichts zu tun haben.«

Er trat zu seiner Frau, strich ihr über die Wange, segnete Sigi und sprach zu Ruth: »Vergiss nicht, Tochter, dass nicht alle Menschen Helden sind, und urteile nicht zu hart.« Ruth verstand nicht, was der Vater meinte. Der Wachtmeister zog umständlich seine Taschenuhr heraus.

»Schon gut«, nickte der Vater. »Wir können gleich gehen.«

Dann gab er seiner Frau einige klare Anweisungen, die die Wohnung in Neuß betrafen, sagte ihr, was sie einpacken solle, nahm das Bündel und schritt vor dem Wachtmeister her zum Bahnhof.

Sigi suchte seine Hand. Es machte ihm nichts aus, dass eine ganze Kinderschar sie begleitete und am Bahnhof die Hälse reckte, als Vater mit dem Wachtmeister in ein Abteil einstieg. Nur dass Karl nicht mit ihm gegangen war, das bedrückte ihn.

Sigi zog sein Taschentuch heraus und winkte, bis der Zug nur noch ein Schatten in der Ferne war. Der Schrankenwärter Brambusch hatte die Schranke längst wieder hochgekurbelt, da verließ Sigi endlich den Bahnsteig. Karl hatte sich nicht getraut, mit zum Bahnhof zu gehen. Er saß noch im Laden, als Sigi zurückkam.

»Na, immer noch hier?«

»Ja. Ich habe auf dich gewartet.«

»Warum hast du uns allein gehen lassen?« Karl schwieg verlegen.

»Angst?« Er sah Karl böse an.

»Mein Vater sitzt im Gefängnis. Jetzt wirst du dich wohl bedanken, noch länger mein Freund zu sein.«

»Hör auf, Sigi!«

»Weshalb bist du nicht mit uns gegangen?«

»Hör auf, Sigi. Dein Vater ist kein Mörder. Kakabe wird schon den Richtigen finden.«

»Kakabe«, zischte Sigi verächtlich. »Überhaupt, Kriminale!«

»Sag nichts gegen die Polizei, Sigi.«

»Er hat mir übrigens erzählt, dass er studiert hat.«

»Der Kriminalkommissar?«

»Ja, Kakabe.«

Karl verschlug es die Sprache. »Mist«, schimpfte er schließlich. »So ein Mist. Muss man denn unbedingt studieren?«

Er schwieg eine Weile. Dann sagte er: »Ich habe in den letzten Wochen mehrmals mit Coudi gesprochen. Der ist in Ordnung. Er speist dich nicht ab. Du kannst ihn fragen, was du willst, er hört dich wenigstens an. Nur auf eine Frage, da hat er mir keine Antwort gegeben.«

»Auf welche Frage, Karl?«

»An dem Tag, als du zum ersten Male fortbleiben musstest, da hat er in der Bibelstunde einen Abschnitt genommen, der eigentlich gar nicht an der Reihe war. Er hat vom Kaiphas erzählt und von seinen Worten, dass es besser ist, wenn ein einziger Mensch für das ganze Volk stirbt, als wenn das ganze Volk zugrunde geht. Dann hat er uns angesehen, als ob wir ihm alles erklären sollten. Schließlich meldete sich Hein Derko und sagte: ›Gut und schön. Aber Jesus war doch unschuldig.‹

›Eben!‹, antwortete Coudi und schloss die Bibelstunde.

Später habe ich ihn gefragt, warum er gerade dieses Stück erzählt hat. ›Das musst du schon selber herausfinden‹, hat er geantwortet und war ganz kurz angebunden.«

»Hast du es denn herausgefunden?«

»Du etwa nicht?«

Sigi zuckte die Achseln. »Fräulein Duttmeier hat deinetwegen auch Streit mit dem Rektor. Ich kam gerade durch den Flur, als sie wütend aus seinem Zimmer rannte. Er kam ihr bis zur Tür nach und rief: ›Machen Sie bitte keinen unnötigen Ärger, Fräulein Duttmeier, bitte keinen Ärger.‹ Er war ganz rot im Gesicht. In ihrer Klasse muss die Dutt dann gesagt haben, sie halte es für ganz und gar ungerecht, dass du von der Schule wegbleiben musst.«

»So viel Wind«, antwortete Sigi. »Herauskommen wird nichts dabei. Du siehst ja, es wird immer schlimmer.«

»Ach, mit dir ist ja heute nicht zu reden«, schimpfte Karl, lief durch den Laden und schlug die Tür hinter sich ins Schloss, dass die Klingel aufgeregt lärmte.

»Es ist nichts, Mutter«, rief Sigi zur Küche hin. »Der Karl war es.« Leise fügte er hinzu: »Der Karl, der mich heute im Stich gelassen hat.«

# 17

*Es* ist nicht wahr! Gestern hat er mich geküsst. Gestern haben wir davon gesprochen, dass wir Verlobung feiern werden, wenn erst die Mordgeschichte vorüber ist. Es ist nicht wahr!

Ruth stand in ihrer Kammer. Sie öffnete ihre Aussteuerkiste. Weißes Leinen für Tisch und Betten, Silberzeug, Porzellan. Sie wollte sich die dummen Gedanken aus dem Kopf schlagen. Wer weiß, was Herr Ulpius gehört hat. Die Leute reden so viel. Sie strich über das glatte Tuch. Von einem Silberlöffel wischte sie mit dem Schürzenzipfel ein Stäubchen. Aber warum gehe ich nicht hinüber? Dieses Leinen habe ich mit Mutter bei Kremser gekauft. Glattes Leinen. Ja, damals hatten wir noch Geld. Ich werde doch hinübergehen. Er ist in der Schmiede. Seine Mutter kommt nie in die Schmiede. Ich werde ihn ganz ruhig fragen. Wenn es so weitergeht, werde ich sicher von meiner Aussteuer etwas verkaufen müssen. Unser Gespartes ist verbraucht. – Wird er nicht verletzt sein, wenn ich ihn frage? Er denkt, ich glaube nicht an ihn. Mutter ist von uns allen eigentlich die Ruhigste. Sie hat es schwer, seit Vater weg ist. Sigi macht viel dummes Zeug. Den kleinen Jungen hat er verhauen. Sie haben es durch die ganze Stadt getragen. Die Bäuerin hat die Töpfe abgeholt. Damit hat es angefangen. Keine Arbeit, das muss wohl schlimm sein für einen Mann. Was mag er nur immer hämmern? Ich werde später hinübergehen. Es kann nicht wahr sein. Gestern hat er mich geküsst. Die Leute sind freundlicher, seit Vater weg ist. Huymann hat mich heute gegrüßt. Zum ersten Male seit Monaten. Aber warum wollte er nicht, dass sie uns beieinander sahen in der Stadt? Ich musste eher gehen. Sonst war er doch mutiger. Es hat wehgetan. Er kann den Spott nicht mehr ertragen. Ob Vater es geglaubt hat, was sie über ihn reden? Er hat so feierlich gesprochen. Held! Wer ist schon ein Held? Sigi? Ach, der. Der schlägt zu und meint, damit könne er es zwingen. Vater? Der bestimmt nicht. Angst hatte er oft genug. Getrunken hat er, weil er Angst hatte. Sicher, gestern, als sie ihn wegbrachten, da war er anders. Ich bin auch kein Held. Gibt es überhaupt jemanden auf der Welt, der mehr Angst hat als ich? Manchmal denkt man, man sollte einfach weglaufen. Weit weg. Nach Berlin oder in eine andere große Stadt. Niemand weiß, dass ich Jüdin bin. Ich sehe aus wie alle andern Mädchen. Meine Augen sind so blau, wie irgendwelche Augen es sind. Die einzige Braunhaarige in der Familie bin ich. Sigi, ja, der, dem sieht man den Juden an. Wie Vater. Aber bei mir würde keiner draufkommen. Waldhoff. Ein unverdächtiger Name. Manchmal denkt man so etwas. Mutter ist vielleicht noch am ehesten eine Heldin. Keinmal hat sie geklagt. Nie hat sie Vater Vorwürfe gemacht. Selbst den Nachbarn ist sie nicht böse. Nur traurig ist sie. Wie schwer ihre Lider geworden sind! Ich werde zu Gerd hinübergehen. Diesen Kessel hier hat er mir geschmiedet. Damals habe ich es zum ersten Male gemerkt. Er hat mich lieb. Ich wusste es, lange bevor er es selber wusste. Kleiner Kessel. Das kann er mir gar nicht angetan haben, was sie von ihm erzählen. Er ist mit mir durch die Stadt gegangen. Die Jungen haben hinter uns hergepfiffen. Gestern zwar nicht. Vielleicht hatte er gestern keinen Mut. Ach, das Kissen von Tante Judith. Mein erstes Stück für die Aussteuer. Ich war damals zwölf. Oder dreizehn? Ich hatte Mühe, die Enttäuschung zu verbergen. Viel lieber hätte ich eine Puppe bekommen. Tante Judith aus Neuß. Werden wir hier wegmüssen? Werden sie uns wegtreiben? Sie sind freundlicher geworden, seit gestern. Ich werde zu ihm gehen. Gleich. Jetzt. Ruth schloss den Deckel über ihren Schätzen. Sie band die Schürze ab. Vor dem Spiegel strich sie über ihr Kleid. Vergeblich versuchte sie, das krause Haar straffer nach hinten zu kämmen. Sie kämmte sich viel zu lange.

Dann lief sie, sprang die Treppe hinab, sagte im Hinausgehen: »Ich muss zu Gerd«, und erst vor der Flügeltür zur Schmiede blieb sie stehen. Die Tür war geschlossen. Von drinnen klang der Hammer. Entschlossen drückte sie die Klinke nieder. Zuerst sah sie in der dämmerigen Schmiede nur das Feuer in der Esse. Doch ihre Augen gewöhnten sich an das schwache Licht. Gerd stand am Amboss. Erstaunt sah er sie an. »Guten Tag, Gerd«, rief sie ihm zu.

»Wie kommst du hierher, Ruth? Du weißt doch, was wir abgemacht haben.« Sie schloss die Tür hinter sich.

»Ich muss mit dir reden, Gerd. Es ist wichtig.«

Er legte Hammer und Zange aus den Händen und rieb den Ruß weg. Sie ging zu ihm hinüber. Er hockte sich auf den Amboss und zog sie zu sich heran.

»Komm mir nicht zu nahe, Schmied. Du hast ein rußiges Gesicht.«

»Hoffentlich hat dich keiner gesehen, Ruth.«

»Warum bist du so ängstlich? Sonst war es dir doch gleich.«

»Ach, es ist nur deshalb, weil sie mir seit heute Morgen wieder Arbeit bringen. Stell dir vor, die Bäuerin hat die neun Töpfe wieder hergeschickt. Die Kleinmagd kam und stellte sie auf die Werkbank. Ich glaube, wir sind über den Berg.«

»Wie kommt sie dazu? Vielleicht, weil Vater aus der Stadt ist?«

»Wer weiß schon, was sie sich dabei denkt? Jedenfalls habe ich zum ersten Male seit Wochen wieder Töpfe geflickt. Endlich.«

Sie spürte seine Freude. Sie konnte ihn nicht fragen. Jetzt nicht.

»Aber die andere Zeit habe ich auch nicht vergeudet, Ruth.«

Er strahlte sie an. »Du hast sicher auf Vorrat geschmiedet?«

»Das auch. Aber ganz nebenbei habe ich für dich gearbeitet.«

»Einen Wasserkessel, Töpfe, Pfannen? Ich freue mich schon darauf, dass wir sie bald gebrauchen können.«

»Wasserkessel! Töpfe! Pfannen!« Er war entrüstet. »Das mache ich ja alle Tage. Nein, diesmal ist es nur für dich. Gestern ist es fertig geworden. Es war schon fast Nacht.«

Er schob sie von sich und ging zur Werkbank. Im Regal stand eine blecherne »Hanseaten-Stolz«-Kaffeebüchse. Vor dem Schmiedefeuer blieb er stehen. »Gar nicht neugierig?«

»Doch. Sehr.«

Er reichte ihr die Büchse. »Du darfst sie erst öffnen, wenn das Feuer leuchtet.«

Der Blasebalg blähte sich, Luft presste sich durch die Glut und entfachte das Feuer. Geschickt schob er mit einer kleinen Eisenschaufel ein paar ausgebrannte Aschenreste zur Seite. Blaue Flammen sprangen auf. »Jetzt.«

Voll Ungeduld zog sie den Deckel von der Büchse. Er sprang ihr aus der Hand und schepperte auf den Ziegelboden. Mit Watte war der Innenraum ausgepolstert. Sie zupfte die weichen Flocken heraus und fasste endlich eine Kette. Sie hielt sie ans Feuer.

»Eine Halskette! Wie herrlich!«

Aus vielen winzigen Kupfergliedern und kleinen, polierten Schildchen war sie kunstvoll zusammengefügt. Rötlich glänzte und funkelte das Metall im Schein des Feuers. Seine großen Hände fassten die Kette. Er legte den Schmuck behutsam um ihren Hals. Sie dachte nicht mehr an den Ruß in seinem Gesicht. Auf Armeslänge drängte er sie weg.

»Sie steht dir, Ruth. Das Kupfer passt genau zu deinem Haar.«

»Sie ist wundervoll, Gerd. – Nicht wahr, du hast es nicht getan?«

Sie hatte das eigentlich nicht fragen wollen. Es war ihr ohne Willen aus dem Munde geschlüpft. Ihr stockte der Atem. Doch zurückholen konnte sie das Wort nicht. Sie wollte es auch nicht mehr. Er ließ sie frei, trat einen Schritt zurück. Die Fröhlichkeit wich aus seinen Augen. Sein Gesicht nahm wieder den zerquälten Ausdruck an, den sie so oft in den letzten Wochen darin gesehen hatte. »Was habe ich nicht getan, Ruth? Was meinst du?«

»Sag, dass du nicht gegen Vater ausgesagt hast. Sie erzählen in der Stadt, du könntest dich auf den Peter-und-Pauls-Tag nicht mehr genau besinnen.«

»Ach, Ruth, was hat das mit uns zu tun? Ich habe dich doch lieb.«

»Was ist an dem Gerede, Gerd? Ich muss es wissen.«

»Ich weiß nicht mehr, wo mir der Kopf steht, Ruth. Was soll ich denn machen? Von morgens bis abends zerbreche ich mir den Kopf, was ich falsch gemacht habe. Alle lassen es mich spüren, dass ich etwas falsch mache. Ich will dich nicht verlieren, Ruth.«

»Gerd, antworte mir klar. Was hast du ausgesagt?«

»Ich will dich nicht verlieren, Ruth. Sie haben mir gesagt, dass es dein Vater ist, der die ganze Geschichte verschuldet. Seinetwegen kam kein Kunde mehr. Seinetwegen sind nur zwölf bei der Beerdigung meines Vaters mit dem Leichenzug gegangen. Nicht deinetwegen, Ruth. Mutter redet auf mich ein. Ich weiß wirklich nicht mehr genau, wie es am Mordtag gewesen ist.«

»Das hast du dem Kriminalkommissar aus Berlin gesagt?«

»Ja. So ähnlich.«

Er trat auf sie zu. Ruth wich zurück. Mit einem Male war er ihr ein Fremder geworden. Er hatte ihren Vater verraten. Er hatte gelogen. Sie streifte die Kupferkette über den Kopf, warf sie mit müder Hand in das Feuer und wandte sich zur Tür.

»Bist du verrückt?«, rief er. Mit der Zange hob er den Schmuck hastig aus der Glut. Hinter Ruth fiel die Tür hart ins Schloss.

»Junge, das musste kommen.« Mutter Märzenich stand im Türspalt. Sie hatte ihn zum Essen rufen wollen.

»Nein!«, schrie er. »Nein!«

Er riss den Vorhammer vom Boden, die Zange schnappte nach einem kalten Stück Eisen. Er drosch darauf los. Wieder und wieder. Seine Mutter sagte nichts mehr vom Essen und ging in die Küche zurück. Der dumpfe Klang des Eisens hallte bis auf die Straße.

»Er hat wieder Arbeit«, sagte Frau Huymann, die vor dem Haus mit Frau Dreigens ein Schwätzchen hielt.

»Jaja, er ist endlich vernünftig geworden.«

# 18

*E*s ist nicht leicht, Sigis Freund zu sein, Vater.«

»Hmm«, brummte Herr Ulpius hinter seiner Zeitung.

»Keiner spielt mehr mit uns. Die Jungen gehen uns aus dem Weg. Manche heben sogar Steine auf und werfen sie hinter uns her.«

»Wehrt euch doch.«

»Wehrt euch! Du hast gut reden. Wenn wir uns wehren, dann sind sofort die Erwachsenen da.«

»Niemand zwingt dich, Sigis Freund zu sein.«

»Sigi ist anders geworden. Er streitet oft mit mir. Neulich hat er zu mir gesagt: ›Warum kommst du eigentlich immer noch zu mir? Bleib doch weg! Mach es doch wie alle.‹«

Herr Ulpius wurde aufmerksam. »Hinter jedem Wort sucht er etwas. Wenn ich sage: ›Es ist eine Schande, was sie mit euch treiben‹, dann antwortet er: ›Du kommst aus Mitleid, wie?‹ Ich sage: ›Nein, nicht aus Mitleid.‹ – Er: ›Oder schickt dich dein Vater?‹ Ich möchte ihn dann am liebsten boxen oder davonlaufen.«

»Warum tust du es nicht?«

»Man kann ihn doch nicht allein lassen, oder?«

»Also doch Mitleid?«

»Nein. Trotz allem bin ich gern bei ihm. Er hält zu mir. Auch dann steht er neben mir, wenn es brenzlig wird. Am Sedanstag war es so. Er hätte sich gar nicht zu melden brauchen. Aber er hat sich gemeldet. Das ist doch Freundschaft, Vater, nicht wahr?«

»Ja. Das ist es wohl. Freundschaft spürst du erst richtig, wenn du in der Tinte sitzt. Stellt sich einer von all denen, die du für deine Freunde hältst, in der Gefahr neben dich, ganz gleich, was geschieht, dann spürst du, er ist der Einzige, der den Namen Freund wirklich verdient.«

»Hast du das schon einmal erlebt?«

»Viele haben ihr Leben lang keinen wirklichen Freund. Aber manchen wird es geschenkt. Du weißt, dass ich mit Onkel Flint befreundet bin. Wir haben vier Semester lang in Marburg zusammen studiert. Eines Tages, ich war noch ein junger Fuchs und ein paar Wochen im ersten Semester, da bat ich meinen Professor, gelegentlich allein in unserem Seminarraum arbeiten zu dürfen. Ich untersuchte damals Eulengewölle, weißt du, die kleinen graubraunen Kugeln aus Knochen und Filz, die von den Eulen hervorgewürgt und ausgestoßen werden.«

»Ja, Vater, die kenne ich. An der Großen Kirche liegen sie manchmal unter dem Turm.«

»Da habe ich übrigens auch eine ganze Reihe gesammelt.«

»Was solltest du denn daran untersuchen, an diesen ekligen Dingern?«

»Eklige Dinger? Du hast keine Ahnung. Das sind die reinsten Wunderkugeln, mein Junge. Sorgfältig zupfte ich sie auseinander und trennte die verfilzten Haare von den kleinen Knochen. Blank und weiß waren sie. Um diese Knöchelchen ging es. Ich stellte mit großer Geduld die auseinandergerissenen Skelette der Tiere wieder zusammen, die von den Eulen verschlungen worden waren. Mäuseskelette, Vogelknochen und eben alles, was ich finden konnte. Ich wollte nachweisen, wie nützlich die Eulen als Schädlingspolizei sind.«

»Hat der Professor es erlaubt?«

»Ja. Ich muss schon sagen, leider. Denn diese Arbeit hat mich beinahe um mein Studium gebracht. Eines Abends saß ich dort noch lange und zupfte und rätselte, welcher Knochen zu welchem Tierchen gehörte. Flint, der an anderen Versuchen arbeitete, war schließlich gegangen.

›Sie kommen aus diesem Bau überhaupt nicht mehr heraus‹, hatte er noch zu mir gesagt. ›Die anderen meinen schon, Sie wären ein Streber.‹

›Ach‹, habe ich geantwortet, ›sie sind neidisch, weil bisher noch keiner im ersten Semester allein arbeiten durfte.‹

Flint stellte sich vor mich hin, er war damals schon im dritten Semester, und fragte: ›Ganz komme ich ja auch nicht dahinter, warum Sie wie ein Besessener hier arbeiten‹, und er schüttelte den Kopf. Da ließ ich Lupe und Pinzette ruhen und erzählte ihm, woher ich kam. Von allen Studenten mochte ich ihn am besten leiden.

›Mein Vater ist Schweineknecht auf einem großen Gut‹, sagte ich. Ich sah, wie er erschrak. Sein Vater war Geheimrat oder irgend so etwas.

›Er muss, damit ich hier studieren kann, für ein Semester acht Schweine in unserem Stall fett füttern. Das Futter bettelt er sich zusammen. Meinen Sie, da könnte ich mich hier mit ruhigem Gewissen auf die faule Haut legen?‹ Er schwieg eine ganze Zeit. Ich begann wieder mit meiner Arbeit.

›Kann ich irgendwie helfen?‹, fragte er.

›Ja, lassen Sie mich in Ruhe‹, antwortete ich grob. Er lachte nur und sagte: ›Sie sind mir einer‹, und ging.

Am nächsten Morgen war es geschehen. Der Professor, der als

Erster den Arbeitsraum betrat, fand die Scherben über den ganzen Boden verstreut. Das große Mikroskop, der Stolz des Seminars, lag auf den Fliesen, die Linsen waren zersprungen, das Metall verbogen.

›Wer ist gestern als Letzter gegangen?‹ fragte er. Er war niedergeschlagen. Lange hatte es gedauert, bis das Geld für dieses neue Mikroskop bewilligt worden war.

Beklommen meldete ich mich. ›Ulpius?‹ Er sah mich an. ›Was wissen Sie über diese Zerstörung?‹

›Nichts, Herr Professor‹, stotterte ich.

›Sie haben also gestern Abend nichts bemerkt?‹

›Nein. Ich bin gegen halb elf gegangen und habe hinter mir sorgfältig abgeschlossen. Der Hausmeister wird es bestätigen können. Ich gab ihm den Schlüssel.‹

›Holen Sie Herrn Schmidt‹, befahl der Professor. Der Hausmeister marschierte herein.

›Ich weiß rein gar nichts, Herr Professor, rein gar nichts.‹

›Hat dieser junge Mann Ihnen gestern gegen halb elf den Schlüssel gegeben?‹

›Wie soll ich das wissen, Herr Professor? Es kommen so viele. Mag sein, mag nicht sein.‹

›Danke, Herr Schmidt.‹

›Aber ich habe Ihnen doch noch Gute Nacht gesagt, Herr Schmidt‹, rief ich ihm nach und wollte ihn zurückhalten. Er sah mich über seine Brillengläser hinweg an.

›Merken Sie sich, junger Mann, bei mir sagt jeder Gute Nacht. Im Übrigen‹, er fixierte mich noch einmal von oben bis unten, ›ich kenne Sie rein gar nicht.‹

›Sie wissen also nichts, Herr Ulpius?‹

›Nein, Herr Professor. Außer, dass das Mikroskop noch ganz war, als ich den Raum verließ.‹

›Sie haben es gebraucht?‹

›Nein. Für meine Arbeiten benötige ich nur die Lupe.‹

›Woher wissen Sie dann so genau, dass es bei Ihrem Weggehen nicht zerstört war?‹

›Ich hätte die Scherben bemerkt, Herr Professor.‹

Flint meldete sich: ›Kurz nach zehn bin ich gegangen, Herr Professor. Das Mikroskop war unbeschädigt.‹

›Danke, meine Herren. Wir machen weiter.‹ Einer der Mitstudenten lachte hämisch. Der Professor sah ihn scharf an und sagte: ›Holen Sie den Besen, und fegen Sie die Scherben zusammen, Verlimann.‹ Der murrte zwar etwas von Putzfrau, aber dem Professor zu widersprechen, das war schon so eine Sache.

Verlimann fegte mit verdrossenem Gesicht, und der Professor trug die Reste des Mikroskopes ganz behutsam in seinen Schrank. Es war nichts mehr wert, verstehst du. Gegen Ende der Übung sagte er: ›Wir sehen uns morgen um zehn in der Vorlesung wieder, meine Herren. Was ich übrigens noch sagen wollte: Bis sich die Angelegenheit aufgeklärt hat, arbeitet hier niemand, wenn ich abwesend bin. Ich möchte in Zukunft selber abschließen.‹

Die Studenten scharrten, am meisten die, die kaum den Raum zur Arbeit benützten. Am selben Tag noch kam mir das Gerücht zu Ohren, ich sei derjenige, der das Mikroskop zerschlagen habe. Man erwarte von mir, dass ich mich binnen vierundzwanzig Stunden melde.

Ich tat die Nacht kein Auge zu, das kannst du mir glauben. Am nächsten Morgen wollte ich im Hörsaal eine Erklärung abgeben. Es war der bare Unsinn, was sie glaubten. Das mussten sie doch einsehen. Aber sie sahen gar nichts ein. Sie hörten mich nicht einmal an. Als ich begann, scharrten sie mit den Füßen und schwatzten so laut, dass ich mein eigenes Wort nicht verstehen konnte. In meiner Kladde fand ich eingeschrieben: ›Du erlebst dein blaues Wunder, Streber, wenn du kneifst.‹

Ich wusste nicht, was ich tun sollte. Keiner sprach ein Wort mit mir. Wenn ein Präparat zum Anschauen herumgereicht wurde, dann ging es an mir vorüber. Ich beschwerte mich. Sie lachten nur und zwinkerten sich zu. Nach der Vorlesung lief ich hinaus. Ich wollte keinen mehr sehen. Doch vor dem Eingang warteten sie auf mich. ›Warum hast du dich nicht gemeldet?‹

›Da hat sein Vater ein schönes Schwein gemästet, was?‹

Sie rückten mir auf den Leib. Ich war damals nicht der Schwächste, weißt du. In den Semesterferien musste ich in Feld und Stall mächtig heran. Das kam mir jetzt zustatten. Ich nahm die Fäuste hoch. Aber was will schon einer gegen mehr als zwanzig ausrichten. Da kam Flint.

›He, was geht denn hier vor sich?‹, fragte er.

›Abrechnung mit Vaters dümmstem Schwein‹, höhnte einer.

›Einen Augenblick mal, meine Herren. Ich möchte nur vorher meine Jacke ausziehen.‹ Sie lachten über Flint, denn er war ein kleiner, schmächtiger Student. Da, wo bei mir harte Muskeln vorsprangen, da gab es bei ihm nur Plumpudding. Sie glaubten wohl, er wolle auch mitschlagen. Sorgfältig legte er seine Jacke zusammen, nahm seine Brille ab, steckte sie in die Brusttasche und stellte sich neben mich. Was sollte das? Ich verstand ihn nicht.

›So, meine Herren, dann los.‹

Sie waren verblüfft. ›Lassen Sie den Blödsinn, Flint. Er war es. Er soll sich melden.‹

›Woher wissen Sie nur so genau, dass er es war? Ich weiß zwar auch nicht, dass er es nicht gewesen ist. Aber ich glaube ihm. Ich glaube ihm, verstehen Sie!‹

›Macht einen Märtyrer aus ihm‹, schrie einer. ›Mal sehen, ob er für seinen Glauben etwas einstecken kann.‹

›Sie riesengroßer Narr‹, sagte verbissen ein langer Kerl und schlug zu. Ich habe mich gewehrt wie nie zuvor in meinem Leben, Junge. Sie haben uns zusammengehauen, wie du es dir kaum vorstellen kannst. Wenn nicht der Professor gekommen wäre und sich die Burschen nicht schnell in alle Winde zerstreut hätten, ich weiß nicht, was sie noch mit uns gemacht hätten.

›Aber, meine Herren‹, sagte der Professor, ›wer wird sich denn prügeln?‹ Er sah sich nicht einmal nach uns um. Wir rappelten uns auf. Flint heulte ein wenig. Er staubte seine Hose ab, versuchte, die Fetzen seines Hemdes in den Hosenbund zu stopfen, und zog sein Jackett über. Mit dem Taschentuch wischte er sich die Tränen weg. Ich stand beschämt da. Ich hätte ihn umarmen mögen. Seinetwegen hatte mir die Rauferei eher Spaß gemacht. Da kam er auf mich zu. Ich wollte ihm danken, ihm die Hand schütteln. Er wies mich ab und sagte: ›Provozieren Sie bitte nicht noch einmal solch ein Theater. Ich bin nämlich kein Held.‹

›Mensch, Flint‹, sagte ich.

›Sehen Sie bitte nach, ob meine Krawatte gerade sitzt‹, fuhr er mich an. Da musste ich lachen. Lachen, obwohl ich merkte, wie ein Veilchen an meinem Auge wuchs. Seine Krawatte saß schließlich. Er lud mich in seine Bude ein, holte eine Flasche und sagte: ›Zum Bruderschaftstrinken, das müssen Sie sich merken, braucht man einen guten Tropfen. Dies ist einer.‹ Er hielt mir die Flasche vor die Augen. ›Guntersblumer Eiserne Hand, Spätlese‹, las ich. Wir tranken. ›Wie heißt du eigentlich, Ulpius?‹

›Theodor.‹

›Angenehm, ich heiße Roderich.‹«

Ulpius schwieg, Karl fragte: »Und wie ging es mit dem Mikroskop aus?«

»Nie fand sich der, der es zerschlagen hatte. Mir blieb während der folgenden Semester in Marburg etwas an der Weste haften. Aber das war mir gleich. Ich hatte Freundschaft erlebt, weißt du.«

»Ja, Vater«, sagte Karl.

»Ist diese Geschichte eine Antwort auf deine Fragen?«

»Ja, Vater.«

Für Karl bedeutete sie noch mehr. Jetzt ahnte er, warum Vater nicht mit den Wölfen heulte. Er war eher wie Coudi. Wie Dutt.

»Vielleicht werde ich Lehrer, Vater.«

Überrascht ließ Herr Ulpius die Zeitung sinken. »Lehrer? Nicht mehr Polizist?«, wollte er fragen, doch Karl war schon aus dem Zimmer gerannt.


# 19


Sigi besaß einen schnellen Schlitten. Den Vormittag über war er in jeder freien Minute in den Hof gelaufen und hatte die Kufen mit harten Schneebällen poliert. Der schuppige Rostbelag war längst verschwunden. Blank glänzten die Eisenbänder.

Gegen drei kam Karl. »Ist der Schlitten in Ordnung?«

»Und ob. Wir werden die Schnellsten sein.«

»Abwarten. Hein Bökeloh hat sich in Märzenichs Schmiede neue Bänder unter die Kufen ziehen lassen.«

»Neue Bänder sind stumpf.«

»Das weiß Hein auch. Heute Morgen in der Zeichenstunde hat er erzählt, dass sein Vater schon in der Frühe über Land gefahren ist. Hein hat den Schlitten hinter den Pferdewagen gebunden. Vier oder fünf Stunden Fahrt hinter dem Wagen, die machen das Eisen glatt.«

»Ich habe auch nicht geschlafen.«

Sigi holte den Schlitten vom Hof und stellte ihn aufrecht. Karl prüfte die Kufen mit der Fingerspitze. »Fein.«

Er ging zum Grafenberg hinauf. Zehn Wegminuten hinter dem Schützenhaus begann der kahle Hang. Gleich vorn rodelten die Kleinen und die Mädchen. Je weiter man sich hinaufwagte, umso steiler wurde der Abhang. Am oberen Rande des Platzes, da, wo die Fichten aufragten, war die Bahn der Großen. Wer hier den Schlitten bestieg, der hörte den Fahrtwind pfeifen. Vor allem aber musste er die Kunst des Stürzens beherrschen. Nicht, weil der Hang selber gefährlich gewesen wäre, sondern weil die Bahn auf den alten Rheinarm mündete. Am Ufer war das Eis dick und trug verlässlich. Aber irgendwo weiter der Mitte zu, da gab es Quellen, die das Eis selbst bei strengem Frost brüchig hielten. Deshalb stürzten die Jungen ihren Schlitten um, sobald die Kufen das Eis berührten, rutschten wohl noch zehn, zwölf Meter über die glatte Fläche, aber blieben weit genug von den tückischen Stellen entfernt.

In dem Fichtenbestand gab es weiter oben eine breite Schneise. Wenn es dunkel wurde, kamen die erwachsenen Burschen und Mädchen zum Rodeln. Doch seit drei Jahren trauten sich selbst die Verwegensten nicht mehr diesen Steilhang in der Schneise hinabzufahren. Damals war Jonny Kellner, einer der geschicktesten Rodler der Stadt, verunglückt, als er seinen Schlitten aus der rasenden Fahrt heraus stürzte, und hatte wochenlang mit einer Gehirnerschütterung und Knochenbrüchen im Krankenhaus gelegen.

Karl und Sigi versuchten es nicht gleich bei den Fichten.

»Man muss sich erst wieder daran gewöhnen«, meinte Sigi. Auch vom halben Hang her kamen sie in schnelle Fahrt. Kaum berührten die Kufen das Eis, da befahl Karl: »Los!«

Sie warfen sich nach links. Die rechte Schlittenkufe hob sich. Der Schlitten kippte. Sie rutschten. »Prima!«

Die Jungen lachten sich an. »Der Schlitten ist in Form, was?«

Sigi deutete zum Waldrand hin: »Sieh mal. Das wird Hein sein.« In gerader Linie glitt ein Schlitten herab. Der Fahrer lag weit vornübergebeugt. Sein hellblauer Schal flatterte wie eine Fahne im Fahrtwind. »Toll! Sieh mal, wie er stürzt!«

»Es ist wirklich Hein. Er hat sich einfach abgerollt, hast du gesehen?«

»Ja. Aber ich habe auch seinen neuen Trick bemerkt.«

Karl schaute noch einmal scharf zu Hein hinüber, der sich nicht weit von ihnen aufrappelte. »Trick?«

»Ja, er hat beim Sturz die Schnur des Schlittens festgehalten. Er braucht ihn nie weit zu holen.«

»Das versuchen wir auch.«

»Klar. Man muss eben nur darauf kommen.«

Hein winkte ihnen zu. »Kommt rüber, ihr beiden. Mal sehen, wer diesmal schneller ist.«

»Sollen wir?«, fragte Karl.

Sigi nickte. »Na, Hein, klappt es mit den neuen Kufen?«

»Ich bin unschlagbar.«

»Das wollen wir erst einmal abwarten.«

»Na, dann zu.« Sie zogen die Schlitten hinauf. Heins Gefährt war schmal und zierlich gebaut, Sigis dagegen niedrig und breit.

Kein Schlitten fuhr mehr von oben ab. Alle wollten das Rennen sehen. Selbst die Kleinen stapften herbei. Um den Startplatz wurde gelost. Wim verbarg hinter seinem Rücken einen Pfennig in der Hand und streckte dann beide Fäuste vor. Hein durfte den Platz wählen. Er entschied sich für die rechte Bahn.

»Wer soll dein Starter sein?«, fragte Karl. Er wollte Sigi abstoßen und hatte schon die Hände auf die hintere Kante des Schlittenholzes gelegt.

»Wim soll mich anschieben.«

Viktor gab das Startzeichen. »Achtung! Fertig – los!«

Karl und Wim rannten los, gaben den Schlitten schließlich einen

Stoß, so heftig, dass sie selbst in den Schnee stürzten. Nebeneinander glitten die Schlitten dahin. Vorgebeugt hockten die Fahrer, lenkten nur dann mit dem Fuß, wenn es unbedingt nötig war. Nichts, auch nicht der geringste Widerstand, sollte die Fahrt hemmen.

Bis zur Hälfte lagen sie gleichauf. Dann schob sich Hein ein paar Handbreit nach vorn. Sigi sah es und hätte seinen Schlitten am liebsten nach vorn geruckt, aber er wusste, dass er ganz ruhig sitzen bleiben musste, wenn er eine schnelle Fahrt machen wollte. Hein gab den Vorsprung nicht mehr ab. Als Sigis Schlitten auch noch über eine kleine Unebenheit im Schnee holperte, lag Hein eine halbe Länge vorn. Sogar von oben war das deutlich zu sehen. Als Erster erreichte er das Eis und warf den Schlitten um. Nur einen Wimpernschlag später stürzte Sigi seinen Renner.

»Na, was sagst du jetzt?« Hein lag noch auf den Knien. Siegesfreude strahlte aus seinem Gesicht.

»Du hattest den besseren Startplatz, Hein.«

»Also dann, noch einmal. Diesmal startest du rechts.«

Auf dem halben Hang kamen ihnen die Jungen aus der Klasse entgegen. Alle wollten sie Heins Schlitten bergan ziehen. Karl half Sigi. »Ich starte diesmal rechts, Karl. In meiner Bahn war ein Huckel. Diesmal schaffe ich es.«

»Ich schiebe jedenfalls, so fest ich nur kann.«

»Wir wollen es denen zeigen, was?«

Wieder zischten die Kufen über den Schnee.

»Diesmal muss ich es schaffen.« Sigi schaute nicht zu Karl hinüber. Ganz ruhig hielt er den Kopf. Wie an der Schnur gezogen, sauste der Schlitten zu Tal. Dann kam das Eis. Sigi stürzte. Erst als er sich wieder aufrichtete, sah er Heins Schlitten kippen.

»Noch einmal«, schrie Hein. »Da war ein Hindernis in der Bahn.«

»Ja«, antwortete Sigi, »ich habe es vorhin auch gespürt.«

»Diesmal gilt es. Wer diesmal siegt, der ist der beste Rodler für dieses Jahr. Abgemacht?«

»Abgemacht, wer siegt, wird König!«

Sigi schlug in Heins Hand ein. Hein zuckte ein wenig zurück.

»Was ist mit meiner Hand?«, fragte Sigi spöttisch.

»Ach, Unsinn. Hand ist Hand. Komm, wir bringen es hinter uns.«

Sie einigten sich darauf, ganz dicht nebeneinander zu starten, damit niemand den Vorteil des besseren Startplatzes bekomme. Wie die beiden Räder eines Wagens zogen die Schlitten ihre Bahn, wie durch eine unsichtbare Achse verbunden. Sigi atmete ruhig durch, Schneestaub flog ihm ins Gesicht. Schmal kniff er die Augen zusammen. Er brauchte gar nicht zu Hein hinüberzusehen. Die Schlittenköpfe lagen genau nebeneinander. Einmal schien es, als ob Sigi ein paar Fingerbreit Boden gewänne, dann wieder mochte Hein um wenige Zentimeter vorn liegen. Zu gleicher Zeit erreichten sie das Eis.

»So ein Pech!«, schimpfte Sigi.

Verdrossen stapften sie zum Startplatz zurück.

»Wer ist denn jetzt eigentlich König?«, fragte der dicke Wim.

»Wir müssten es von dort oben versuchen«, sagte Hein und zeigte zur Schneise hin. Sigi bekam es mit der Angst. Hein merkte sein Zögern.

»Oder traust du dich nicht?« Sigi schätzte die Strecke ab. Sie hatte ein viel stärkeres Gefälle. Die Bahn war beinahe doppelt so lang.

»Lasst doch den Quatsch!« Karl versuchte, Hein den Plan auszureden.

»An mir soll es nicht liegen«, prahlte Hein. »Ich fahre mit meinem Schlitten jede Strecke.«

Sigi konnte sich nicht entschließen. Hein tat immer großspuriger.

»Diesen Schlitten hat unser Großknecht Joost gebaut. Sieben Jahre ist der auf See gewesen. Schiffszimmermann war er. Der Schlitten hält alles aus.«

»Mein Schlitten ist vielleicht noch stärker«, antwortete Sigi. »Aber das Stürzen unten bei dem Affentempo! Denkst du nicht an Jonny Kellner?«

»Was geht mich Jonny Kellner an? Ich stürze besser.«

Karl trat nahe an Sigi heran: »Mach keinen Quatsch, Sigi. Das ist viel zu gefährlich.«

Die Mädchen und Jungen standen im Kreis um die beiden herum. Sie witterten das Abenteuer. Wie würde Sigi sich entscheiden? Nahm er die Herausforderung an? Er überlegte. Was geschah, wenn es schiefging? Wenn er sich die Knochen brach? Mutter brauchte ihn. Nein, es ging nicht. Sollte doch Hein in diesem Jahre König sein. Sigi nahm die Schlittenschnur und verließ den Kreis.

»Er kneift! Sigi Waldhoff kneift.« Wim war enttäuscht. Hein atmete auf.

Doch da sagte Wim: »Juden sind eben doch feige, wie?«

Sigi blieb stehen und blickte Wim zornig an.

»Ja«, sagte ein kleines Mädchen, »mein Vater sagt auch, alle Mörder sind feige.«

Am liebsten hätte sich Sigi auf das Kind gestürzt. Doch da fiel ihm Herrn Pfingstens Sprichwort ein: »Den Esel meint man, und den Sack schlägt man.« Er riss den Schlitten herum. Ohne ein Wort schritt er der Schneise zu. Es ging ihm jetzt nicht mehr darum, König zu sein. Er musste es einfach tun, ganz gleich, was daraus wurde.

»Dumme Pute!«, schimpfte Karl und gab dem kleinen Mädchen einen Stoß, dass es in den Schnee fiel. Es schrie, aber niemand kümmerte sich darum.

Hein hätte jetzt am liebsten gesagt: »Ach, ich habe keine Lust mehr, sei du ruhig König.« Aber als er die vielen Kinder um sich sah, traute er sich nicht. Er ging hinter Sigi her.

Viktor Schweers rief: »Ohne mich! So was Verrücktes! Ohne mich!« Er lief den Berg hinunter.

Nur Wim und Karl gingen bis zum Startplatz mit. Die anderen verteilten sich längs der Bahn. Diesmal gab es keinen Streit um die Startplätze. Wim gab das Kommando: »Los!«

Sie schoben die Schlitten nur eben an. Die Spur war hier nicht glatt gefahren, aber die Steilwand riss die Schlitten in die Tiefe. Der lose Schnee wurde aufgepflügt und stäubte zu einer Wolke empor.

Sigi hatte alle Angst vergessen. Der Fahrtwind pfiff ihm um die Nase. Er versuchte nicht, die Fahrt des Schlittens zu bremsen. Er würde es ihnen schon zeigen!

Er schaute sich ganz kurz nach Hein um. Der lag hinter ihm, zwei, drei Längen zurück.

Da, eine Bodenwelle, hinüber! Der Schlitten hob sich vom Boden und krachte wieder auf den Schnee. Hielt Hein durch? Ja. Da, was machte Hein? Mitten während der tollen Fahrt legte er sich bäuchlings auf den Schlitten. Er wurde schneller, schob sich an Sigi vorbei! Noch waren es dreißig Meter bis zum Eis. Immer schneller wurde Heins Fahrt, schon lag er drei, vier Längen vorn. Sigi hörte das Geschrei der Kinder. Er hatte verloren. Heins Schlittenkufen schlugen auf das Eis. Klirrend sirrte der Ton über die Fläche hin. Jetzt war auch Sigi am Ziel. Wie ein Geschoss zischte der Schlitten über das Eis. »Stürzen!«, befahl er sich. Irrsinn bei diesem Tempo. Doch er riss den Schlitten auf die Seite, überschlug sich, einmal, zweimal. Er war noch ein wenig benommen, als er Viktors Geschrei wahrnahm. Vorsichtig bewegte er seine Arme, seine Beine. Ein Glück, dachte er, als sie sich ohne Schmerzen bewegen ließen.

Er rappelte sich auf. Jetzt erst verstand er, was Viktor herüberrief: »Der Hein! Der Hein ertrinkt!«

Sigi begriff sofort, was geschehen war. Hein hatte sich nicht getraut den Schlitten zu stürzen, war weit auf das Eis hinausgeschleudert worden und bei den Quellen eingebrochen. Die Bruchstelle blinkte schwarz. Wie eine zerschlagene Schaufensterscheibe sah sie aus. Am Rand des Loches versuchte sich Hein festzuklammern. Doch die Kante brach ihm unter den Händen. Immer wieder sank er tief in das Wasser.

Sigi griff nach seinem Schlitten. Er lag nicht weit von ihm entfernt. Die linke Kufe war eingedrückt. Ein Stück tappte Sigi auf die Bruchstelle zu. Er zog den Schlitten hinter sich her. Dann begann das Eis, unter seinen Füßen zu singen. Immer noch mochten es zwanzig Meter bis zum Eisloch sein.

»Halt aus, Hein!«, schrie er. »Ich hole dich.« Er konnte das verzerrte Gesicht genau erkennen. Angst, Todesangst spiegelte sich in Heins Augen. Sigi legte sich platt auf das Eis und schob den Schlitten vor sich her. Die Kufen zeigten nach oben. Langsam robbte er auf Hein zu. Der wollte sich hastig Sigi entgegenarbeiten, brach wieder ein und versank. Eine kleine Welle schwappte über ihm zusammen, und eine dünne Wasserschicht floss über das Eis. Wieder griffen Heins Hände nach der Kante.

»Nicht bewegen, Hein!« Sigi näherte sich ganz allmählich. Jetzt war der Schlitten in Heins Reichweite.

»Fass ihn! Aber vorsichtig!«

Heins Hände krallten sich um das Holz. Das Eis bröckelte, Risse sprangen auf. Aber es barst nicht. Sigi kroch zurück. Schon lag Hein mit dem Oberkörper auf dem Eis. Jetzt zog er die Knie nach.

Sie bewegten sich ganz behutsam. Immer weiter blieb das Loch zurück.

Viktor und Karl halfen den beiden wieder auf die Füße. Sie zitterten. Hein schnatterte: »Das macht die Kälte.« Sigi aber wusste, dass es ganz etwas anderes war, was ihm die Gänsehaut über den Rücken jagte.

»Los, legt Hein auf den Schlitten. Wir fahren ihn nach Hause.« Wim zog seinen Schlitten heran.

»Nein, er muss rennen. Sonst wird er sich erkälten.«

Karl stieß Hein in die Seite. »Los, renn! Renn zu!«

Hein setzte sich in Bewegung. Die Kinder liefen hinter ihm her. Schließlich standen Wim, Karl und Sigi allein auf dem Eis.

»Mensch, Sigi, wenn du nicht so schnell bei ihm gewesen wärst!«, sagte Wim.

Sigi blickte ihn feindselig an. Er war wütend auf Wim. Ohne Wim wäre es überhaupt nicht zu dieser Wahnsinnsfahrt gekommen.

»Geh schon nach Hause, Wim. Mit einem feigen Juden willst du doch sicher nichts zu tun haben«, sagte Sigi.

»Nun hab dich bloß nicht so. Angst hast du wohl genug gehabt, wie?«

»Mag schon sein.«

Sie kehrten Wim den Rücken und zogen davon.

»Hochnäsiges Pack«, schimpfte Wim hinter ihnen drein. Doch sie kümmerten sich nicht um ihn. Weder Karl noch Sigi dachten an die Mütze, die der Wind Sigi fortgerissen hatte. Sie fassten das Schlittenseil und liefen zur Stadt hinunter.

»Wird es eigentlich noch einmal etwas mit unserer Turmbesteigung?«, fragte Sigi.

»Ganz sicher. Ich habe es dir ja versprochen. Aber es muss erst wieder wärmer werden, sonst frierst du da oben in fünf Minuten zu einem Eiszapfen.«

# 20

Nicht nur schlechte Nachrichten wehten wie ein Wind in die Häuser. Heins Rettung war noch am selben Abend in aller Munde. Gewiss, Mehlbaum bedauerte, dass nicht ein rechter Deutscher hinzugesprungen sei, und verdächtigte Sigi, er habe nur die Gelegenheit genützt, weil er vor vielen Augen glänzen wollte. Aber Mehlbaum blieb ziemlich allein mit seinem Hass.

Sigi hatte zu Hause zunächst nichts erzählt. Er war am andern Tag hinaufgelaufen und hatte die Pudelmütze am Hang gesucht, aber neuer Schnee hatte Fahrspur und Mütze tief unter sich begraben. Wie so oft bei Redereien erfuhr Frau Waldhoff vermutlich zuletzt von dem, was Sigi getan hatte, und bedauerte, dass sie ihn wegen der Mütze gescholten hatte. Sie besprach mit Ruth, dass sie Sigi am Abend überraschen wollten. Beide verrieten nicht, dass das Geheimnis längst keins mehr war.

Mutter fuhr am Nachmittag in die Kreisstadt wie jeden Mittwoch. Eine Stunde durfte sie Vater im Gefängnis besuchen. Eine einzige Stunde in der Woche. Sie zog ihren dicken Mantel an und band sich ein Tuch über ihren Hut. Über Nacht war harter Frost gekommen. Ein eisiger Nordostwind hatte ihn herbeigetrieben.

»Ich freue mich, wenn du mich am Bahnhof abholst, Sigi. Ich graule mich im Dunkeln.«

Sie blinzelte Ruth zu.

Er nickte. »Nimmst du Vater dieses Briefchen mit?«, bat er, als sie sich auf den Weg machte. Sie steckte es in ihre Handtasche. »Er soll es erst lesen, wenn du fortgegangen bist«, rief er ihr nach.

Sie ahnte, dass er dem Vater von der Rettung geschrieben hatte. Karl hatte versprochen zu kommen. Mittwochnachmittags war keine Schule. »Lass ihn nicht in die Werkstatt, wenn er kommt«, bat Sigi seine Schwester.

»Was hast du für Heimlichkeiten?«

Da nahm er sie mit und zeigte ihr eine halb fertige Figur. Deutlich konnte Ruth erkennen, dass es eine Eule werden sollte. Sie schaute ihn verwundert an. »Hast du das gemacht?«

»Wer sonst?«, antwortete Sigi. »Ich habe es dem Schloters abge-
schaut. Die Eule will ich Karl zu Weihnachten schenken. Schön?«
Sie nickte. Mit einem kleinen Meißel stieß er vorsichtig den Stein
und hob winzige Splitter ab. Schon schälte sich das große, runde
Eulenauge aus dem Block.

Endlich rief Ruth. »Da ist Karl, Sigi.«

Hastig warf er einen Sack über seine Arbeit und lief nach vorn.

Als Karl auf die Wettfahrt zu sprechen kommen wollte, da legte
Sigi den Finger auf den Mund. Ruth wendete sich dem Feuer zu.
Sie wollte ihr Lächeln verbergen.

Die Dunkelheit brach früh herein. Ruth setzte sich zu den Jungen. Sie
zündeten kein Licht an. Die Flammen drangen durch die Ritzen und
Spalten des Herdes. Wilde Schatten und roter Schein zuckten über die
Wände. Die Herdplatte glühte dunkelrot. Der Herd füllte die ganze
Schmalwand des Zimmers aus. Rote Blumen waren auf sein schwarzes Email gemalt. In der kupfernen Stange konnte man sich spiegeln,
so blank putzte Ruth sie jeden Tag nach dem Essen. Sie hatte den
Backofen aufgeklappt, damit alle Wärme ins Zimmer strahlen konnte.
Drei mit Sand gefüllte Tonkrüge lagen darin. Jeden Abend nahm Mutter zwei ins Schlafzimmer. Ruth gehörte der dritte. Lange hatte Sigi
herumgerätselt, warum Mutter sich nicht mit einem Krug begnügte,
dann fand er heraus, dass sie den zweiten in Vaters Bett legte.

»Warum tust du das?«, hatte er verwundert gefragt.

»Er hat plötzlich gehen müssen, kann er nicht auch unvermutet
wiederkommen?«, war ihre Antwort gewesen.

Wie lieb muss sie ihn haben, war es Sigi durch den Kopf gegangen.
Er hatte schnell fortgehen müssen, damit sie seine Tränen nicht sah.

Sigi legte Holz nach. Er verbrannte gern Holz. Zwar musste er es
im Wald suchen und dann sägen und hacken. Aber Holz macht das
Feuer lebendig. Es knackt und zischt, schwelt und schleudert
Flammen hervor. Außerdem war es billiger. In diesen Wochen war
das für Waldhoffs eine entscheidende Frage. Zwar hatte Sigi hier
und da Arbeiten verrichten dürfen, besonders in den letzten Tagen.
Doch leicht rollen die Groschen aus der Hand, und schwer sind sie
herbeizuschaffen.

»Übermorgen ist Weihnachten«, sagte Karl.

»Was hast du dir gewünscht?«, fragte Ruth.

»Ich möchte eine Ledertasche haben und ein Taschenmesser mit Hirschhorngriffen.«

»Wozu brauchst du eine Ledertasche? Übers Jahr kommst du aus der Schule. Wozu brauchst du dann noch eine Ledertasche?«

»Ich gehe später weg. Ich will Lehrer werden.« Karl konnte immer noch nicht ohne Verlegenheit von seinen Plänen sprechen.

»Lehrer? Ich denke, du wolltest zur Polizei?«

»Ich habe es mir überlegt.«

»Wie kommst du gerade auf Lehrer?«

»Lehrer ist doch gut, oder?«

»Nun, dein Vater wird sicher damit einverstanden sein, nicht wahr?«

»Ja. Er ist froh darüber.«

»Die Ferien, die Ferien!«, neckte ihn Sigi.

»Nein, nicht die Ferien. Ich meine, als Polizist oder Kriminalkommissar klärt man Verbrechen und so was auf. Das ist spannend, aber Lehrer sein, das ist auch schön . . .« Er stockte. »Ich meine, so wie die Dutt oder wie Coudi. Man ist vorher da, kann erklären, Fragen beantworten, helfen . . .« Er stockte wieder. Schließlich fuhr er fort: »Na, eben wie Coudi. Jetzt in der Weihnachtszeit ist es besonders schön. Er weiß Geschichten und bastelt mit uns.«

»Weihnachten«, sagte Sigi. »Geburt von Jesus, des Zimmermanns Sohn.«

»Gottes Sohn zuerst«, antwortete Karl.

»Glaubt ihr. Wir meinen, er ist es nicht gewesen, den wir erwarten.«

»Streitet nicht«, mahnte Ruth. »Denkt lieber daran, dass wir alle an den Vater glauben.«

»Eigentlich gar nicht recht zu verstehen, Karl, dass wir meist nur an das denken, was uns im Glauben trennt. Das, was wir gemeinsam haben, das wird kaum erwähnt.«

»Na ja, schließlich habt ihr Jesus ans Kreuz geschlagen.«

»Das alte Lied«, wehrte sich Sigi. »Wenn du es genau nimmst, waren es die römischen Soldaten, war es Pilatus genau so wie die Hohenpriester. Und außerdem, das ist mehr als 1 850 Jahre her. Was haben wir damit zu schaffen?«

»Sie sagen, es liege ein Fluch auf den Juden seither.«

»Das sagen sie gern. Oft genug haben wir Juden die Geißel zu spüren bekommen, die Geißel, die dann die Christen schwangen.«

»Vielleicht ist doch wirklich etwas daran?«, sagte Karl nachdenklich.

»Zwei Söhne hatte der Vater«, begann Ruth zu erzählen. Es war, als ob sie es in die Flammen hineinspräche. »Er hatte ihnen gesagt, er müsse für eine Weile fortziehen. Manchen Rat gab er ihnen, wie sie Haus und Gut verwalten sollten, während er an dem anderen Orte weilte. Kaum hatte er den Rücken gekehrt, da begann ein kleinliches Gezänke, der Vater habe dies so gemeint und jenes so. Einmal stand der jüngere gegen den älteren Bruder auf, einmal schlug einer auf den anderen ein. Es ging so weit, dass sie einander spinnefeind wurden. Sie redeten kaum miteinander, und wenn, dann waren es Worte voll Hass und Verachtung. Die Nachbarn, die den guten Vater kannten, wunderten sich, dass er so ungeratene Söhne großgezogen hatte. Am meisten jedoch befremdete es sie, dass jeder der beiden von sich behauptete, er selber und er allein sei der rechte Sohn, der den Willen des Vaters genau kenne. Der andere sei im Dunkel des Irrtums und der Schuld verstrickt und ein ungeratener Wechselbalg.

›Ihr seid doch aus einer Familie!‹, sagten die Nachbarn dann zu ihnen. ›Besinnt euch doch auf euer Vaterhaus.‹

›Was, Vaterhaus!‹, rief der eine entrüstet. ›Ich tue den Willen des Vaters. Das ist mehr als fauler Friede.‹

›Ich bin es, der seinen Willen genau verstanden hat‹, beeilte sich der Zweite zu versichern.

Sie zogen sich in ihre Kammer zurück, und jeder glaubte hochnäsig von sich, dass er die ganze Wahrheit allein gepachtet habe.

›Wer hilft aus diesem Elend?‹, seufzten die Nachbarn.

Da kam eines Tages ein Weiser in den Flecken. Ihm trugen die Leute das Ärgernis vor. Die Brüder wurden ihm vorgeführt. Sie schauten sich nicht in die Augen. Sie trugen ihren Spruch vor. Jeder erwartete von dem Weisen, dass er sich von seinen guten Gründen überzeugt habe. Insgeheim waren sie nur dann bereit, an seine Weisheit zu glauben, wenn er ihnen zustimmen und sich allein auf ihre Seite stellen würde.

Der Weise zuckte die Achseln.

›Vieles spricht dafür, dass du im Recht bist‹, sagte er zu dem Älteren.

›Aber auch du nimmst Worte in den Mund, die sehr wohl dein Vater gesagt haben könnte‹, wandte er sich an den Jüngeren und blickte ihm in das Gesicht – es war arg zerschunden, weil sein Bruder in der Nacht über ihn hergefallen war –, ›du sprichst seine Sprache.‹

Er erhob sich und wollte gehen. Die Brüder jedoch hielten ihn am Mantelsaum und riefen: ›Wir sind so klug wie zuvor. Auf wessen Seite, meinst du, steht unser Vater? Sprich! Wir bitten dich.‹

›Die Antwort ist zu schwer. Nur ein Dummer weiß auf alles Antwort. Ich will euch einen Rat geben. Ihr wisst ja sicher, dass euer Vater eines Tages wiederkommen wird. Nehmt euch seinen größten Wunsch zu Herzen, habt euch lieb. Sprecht nicht immer hasserfüllt über das, worüber ihr euch nicht einigen könnt. Vieles ist euch doch gemeinsam. Erinnert euch an euren Vater, und wartet seine Wiederkunft ab. Ja, fleht sie herbei. Er wird euch gewiss liebevoll begrüßen, wenn er in ein Haus des Friedens eintritt. Aber wie traurig muss er sein, wenn er von der Ungeduld der Söhne untereinander, von Hader und Zwietracht hört. Oder gar von dem‹, sagte er und strich dem jüngeren über die Beulen und Schrammen.

Die Söhne wurden sehr nachdenklich. Sie brauchten einige Zeit, bis der Rat des Weisen die harte Kruste ihrer Herzen durchdrungen hatte. Ja, eigentlich wissen die Nachbarn immer noch nicht genau, ob sie das Wort wirklich ins Herz geschlossen haben. Aber sie hoffen darauf. Insgeheim hoffen es auch die Söhne. Nur warten sie zu sehr einer auf den anderen. Jeder meint, er könne sich etwas vergeben, wenn er mit dem Liebhaben anfinge. Doch eines Tages . . .«

Ruth hörte mitten im Satz auf.

»Das ist kein Schluss«, meinte Karl.

»Nein«, gab Ruth zu. »Vielleicht sucht ihr aber selbst einen?«

Karl musste nach Hause. Während Sigi ihn bis zur Ladentür brachte, zündete Ruth die Petroleumlampe in der Küche an.

Sie schien schmaler, blasser. Nicht die Brautdürre, die manche Mädchen vor der Hochzeit befällt, war es. Um ihre Lippen hatte sich eine haarfeine, harte Rille in die Haut gegraben.

»Mit neunzehn schon ein faltiges Gesicht?«, hatte sie sich erschrocken gefragt, als sie im Spiegel zum ersten Male die zarte Spur ihres Kummers entdeckte.

Dabei wunderte sie sich über sich selber. Sie hatte sich nie denken können, dass es so endgültig mit Gerd auseinandergehen konnte. Sie hörte seinen Hammer, sie sah ihn dann und wann. Doch spürte sie nur selten ein Gefühl des Bedauerns, nie wünschte sie, wieder gut mit ihm zu sein. Zuerst hatten Zorn und Empörung sie erfüllt, wenn sie nur an ihn dachte. Zorn auch auf sich selber, auf all ihre Gedanken an den Weg, den sie gemeinsam mit ihm gehen wollte. Ihre Aussteuerkiste war seit dem Tag des Bruches nicht ein einziges Mal geöffnet worden. Allmählich war ihre Erregung gewichen. Jetzt kam jedes Mal das Staunen über sie, wenn er ihr über den Weg lief. Wie vertraut war er ihr vor ein paar Wochen noch gewesen, und jetzt wurde er ihr fremder von Tag zu Tag.

»Es stürmt und schneit.« Sigi zog seine Jacke und Vaters Schuhe an. »Ich gehe Mutter entgegen. Der Zug muss bald einlaufen.«

Ein Windstoß packte ihn im Rücken und drückte ihn vorwärts. Waagrecht jagten die Flocken dahin. Hier und da schimmerte Licht durch eine Scheibe. Kein Mensch war auf der Straße. Der neue Bahnhof lag vor der Stadt, eine Lichtinsel in aller Dunkelheit. In dicke Kleider gehüllt, saß etwa ein Dutzend Personen in der Wartehalle. Die Männer hatten die Hände tief in die Taschen gesteckt, die Frauen hauchten gegen die kalten Finger oder wärmten sie in den Ärmeln. Der Bahnbeamte schloss die Tür auf. Bald musste der Zug kommen. Irgendwo in dem Gebäude schrillte eine Klingel. Der Schrankenwärter Brambusch, der im Krieg den rechten Arm verloren hatte, drehte die Schranke herunter. Gelbe Lichtaugen schoben sich heran. Von dem Stampfen der Lokomotive war nichts zu hören. Selbst ihr Läutezeichen wurde vom Heulen des Sturmes übertönt. Die Maschine fauchte, hüllte sich in Wasserdampf, stand schließlich. Viele Wagentüren öffneten sich. Die Frauen hatten Weihnachtseinkäufe gemacht und erfüllten mit ihrem Schwatzen und Lachen den Bahnsteig. Sigi entdeckte Mutter bereits, als sie die Tür des Abteils öffnete. Er rannte zum Ende des Zuges und nahm ihr die Tasche ab.

»Gib mir auch das Paket«, sagte er.

»Nein, das wirst du später bekommen.« Sie machte ihn neugierig.

Sie kämpften sich gegen den Wind zur Stadt hin. Zwischen den Häusern blies er weniger stark. Doch Stirn und Brust waren mit einer dicken Schneekruste überzogen, als sie schließlich den Laden betraten. Sie stampften den Schnee von den Schuhen. Ruth trug die Hausschuhe herbei und half der Mutter, den schweren Mantel abzulegen. Mutters Finger waren von der Kälte so steif, dass sie die Knöpfe gar nicht öffnen konnte.

»Wir essen heute im vorderen Wohnzimmer«, kündigte sie an. Sigi wunderte sich. Im vorderen Wohnzimmer wurde sonst nur an Feiertagen gegessen. Hatte er irgendein Fest vergessen? Noch mehr staunte Sigi, als er den Tisch festlich gedeckt vorfand. Im großen Kerzenleuchter brannten alle sieben Lichter.

»Was soll die Verschwendung? Haben wir eine Erbschaft gemacht?« Einen Augenblick schoss ihm der Gedanke durch den Kopf, dass Vater vielleicht freigesprochen sei. Doch er verwarf ihn wieder. Erst in der Vorwoche hatte Mutter darüber geklagt, dass es immer noch zu keiner Verhandlung gekommen war und dass auch vorläufig nicht mit Gericht und Urteil zu rechnen sei.

Mutter trat herein. Sie hielt das Paket in der Hand. Sigi stellte sich an seinen Platz. Da kam Mutter auf ihn zu, reichte ihm das Paket, nahm seinen Kopf zwischen ihre Hände und sagte: »Dein Vater ist sehr stolz auf dich, mein Junge. Ruth und ich sind es auch.«

Er wurde feuerrot und stammelte: »Aber das war doch nichts Besonderes, was macht ihr denn daraus?« Als sie ihn nur anlachten, fuhr er fort: »Diese Sachen hier auf dem Tisch, die Kerzen, das alles kostet doch Geld!«

»Mach dir keine Gedanken darüber, Junge. Es ist alles bezahlt.« Mutter tat es nicht einmal leid, dass sie den Ring verkauft hatte, das letzte Geschenk ihres Vaters.

»Willst du denn nicht nachsehen, was ich dir aus der Kreisstadt mitgebracht habe?«

»Doch, doch.« Er nestelte an der Schnur, doch in seiner Verwirrung zog er den Knoten nur fester.

»Gib her, du Bär«, sagte Ruth und knüpfte die Verschnürung auf. Er löste das Papier und öffnete den bunten Pappkarton. Der Atem stockte ihm.

»Eine Mütze, eine neue Stoffmütze.« Gleich stülpte er sie bis über die Ohren und rannte zum Spiegel. Erst als er den Karton wegstellen wollte, entdeckte er, dass Mutter ihm auch noch einen Schal und ein Paar Fausthandschuhe mitgebracht hatte. Sie passten genau. Er rannte zu Mutter hinüber, fasste sie um den Hals und küsste sie.

»Na, na«, wehrte sie sich, »die Wolle kratzt. Lass mich.«

»Das leckere Essen wird kalt«, maulte Ruth. Doch auch sie wurde stürmisch in Sigis Armzange zusammengepresst.

»Junge, Junge, wenn du das Liebe nennst?«, lachte ihn Ruth aus.

»Übermut ist es, reiner Übermut«, sagte Mutter.

## 21

Der Heilige Abend brach mit einer Überraschung an. Am Vormittag brachte Hein Bökeloh ein Paket. Die Mutter wunderte sich, dass er es gerade zu der Zeit brachte, in der viele Leute unterwegs waren, um die letzten Besorgungen für die Festtage zu machen. Jeder konnte Hein sehen. Er schien sich gar nichts daraus zu machen. Auch wohl sein Vater nicht, der Bauer Bökeloh, der ihn geschickt hatte.

»Ein Paket für uns?«, fragte Ruth ungläubig.

»Ja. Und einen schönen Gruß von Mutter, euer Sigi, der dürfte sich das schönste Stück aussuchen.«

Schon war er wieder zur Tür hinaus. Mutter hatte nicht einmal Gelegenheit, ihm ein Plätzchen zuzustecken.

»Was mag wohl darin sein?« Ruth betastete das Packpapier.

»Rufe Sigi. Er soll dabei sein, wenn es ausgepackt wird. Wahrscheinlich geht es an seine Adresse; schließlich hat er den Hein aus dem Eis gezogen.«

Sigi, der der Eulenfigur den letzten Schliff gegeben hatte, kam neugierig dazu. »Ein Paket von Bökeloh?«

Mutter legte es auf den Küchentisch. Sie hatte keine Ruhe, die Kordel aufzuschnüren, und schnitt sie mit der Schere durch.

Aus den Papierhüllen schälte sich eine schwere Gans, gerupft, ausgenommen, Fett und Innereien in der Leibeshöhle verborgen.

»Ein Festbraten«, jubelte Ruth. »Ein richtiger Festbraten!«

Mutter schnitt ein Stückchen Lunge heraus und hielt es prüfend ins Licht. »Kein Blut«, murmelte sie. »Das wundert mich. Sie haben sie von einem Juden schlachten lassen. Die Gans ist nach unserem Gesetz geschlachtet worden.«

Bald durchzog ein herrlicher Duft von Gänsebraten das ganze Haus. Mutter hatte das Fett ausgelassen und in ein Bunzlauer Töpfchen geschüttet. Sigi wusste, wozu sie es brauchte. Bei Erkältungen und Husten machte sie ihm mit diesem Fett einen Wickel um Brust und Rücken. Sigi konnte zwar den ranzigen Geruch nicht ausstehen, aber die Erkältung heilte schnell davon.

Allmählich wurde es still auf der Straße. Dem Sturm war ruhiges, frostklares Winterwetter gefolgt. Sigi erhielt von Mutter die Erlaubnis noch ein wenig durch die Stadt zu streifen. Er wollte vor allem bei Ulpius vorbeilaufen und für Karl das Päckchen abgeben. Die Eule war ein kleines Kunstwerk geworden. Jede Feder hatte er sorgfältig herausgearbeitet, und die Augen wirkten raublustig und lebendig.

Frau Ulpius öffnete auf sein Klopfen die Tür. Sigi war froh, dass Karl nicht selber kam.

»Für Karl«, sagte er.

»Komm doch einen Sprung herein. Wir schmücken gerade den Weihnachtsbaum.«

»Nein, Frau Ulpius. Mutter hat es nicht erlaubt.«

»Na, dann auf morgen. Du kommst doch? Wer weiß, vielleicht bringt dir das Christkind bei uns auch etwas?«

Sigi nickte und lief davon. Der Schnee knirschte unter seinen Schuhen. Einmal zog er seine Handschuhe aus und versuchte, einen Schneeball zu pressen. Es gelang nicht. Der Schnee zerstäubte gleich wieder. Mütze und Schal hielten warm. Trotz der Kälte fror Sigi nicht. Er lief zum Stadttor hinaus. Im Mondlicht glänzte der Schnee und funkelte. Unberührt lag er auf Wiesen und Feldern.

War er nur wenigen Menschen in der Stadt begegnet, hier vor den Mauern regte sich gar nichts. Nah standen die Sterne. Gleich fand er den Großen Wagen. Er verlängerte die Hinterachse fünfmal und fand den Nordstern, genau wie Lehrer Coudenhoven es beschrieben hatte.

Schon länger als ein Vierteljahr war er nun nicht mehr in der Schule gewesen. Zuerst hatte er gemeint, diese ewigen Ferien seien ein Zipfel des Paradieses. Doch je länger sie dauerten, desto häufiger ertappte er sich bei dem Gedanken »Was mögen sie jetzt in der Schule machen?«. – »Heute feiern sie Erntedank.« – »Am 10. Oktober hat Coudi Namenstag. Ob sie wohl daran denken?« Eines Tages war es so weit. Er war verlegen bei Karl Ulpius erschienen und hatte gefragt: »Hör mal, du könntest mir eigentlich jeden Tag kurz berichten, was ihr in der Schule erlebt habt.«

»Ach«, hatte Karl zur Antwort gegeben, »es geschieht rein gar nichts mehr. Schon über vierzehn Tage hat keiner einen Streich ausgeheckt. Coudi hat oft trüben Sinn. Es geschieht rein gar nichts mehr.«

Er hatte es zuerst gar nicht begreifen können, dass Sigi nicht auf Streiche aus war, sondern dass er Hunger nach Lernen und Schulaufgaben verspürte.

»Es geht ihm wie dem Mann, der zeit seines Lebens stets Wasser im Überfluss hat. Plötzlich gerät er in die Sahara. Da erst merkt er, wie herrlich ein Becher Wasser sein kann«, hatte sein Vater ihm erklärt.

Seitdem half Karl dem Freund, wann er nur konnte. Es machte ihm sogar Spaß, Sigi die Hausaufgaben nachzusehen, natürlich immer stets einen Tag später. Ohne dass er es merkte, festigte sich Karls Plan, Lehrer zu werden, immer mehr. Vor allem aber staunte Lehrer Coudenhoven.

»Dein Zeugnis vor Weihnachten wird erheblich besser«, hatte er zu Karl gesagt. Der Klasse aber schmetterte er entgegen: »An dem Ulpius seht ihr es ja, ihr Dummköpfe. Es ist nie zu spät zum Lernen.«

Karl hatte es schmunzelnd zu Hause berichtet.

»Kein Wunder«, sagte Sigi, »wenn du den ganzen Stoff jeden Tag zweimal durchnimmst!«

Er war froh, dass Karls Hilfe nicht nur eine Last bedeutete, sondern auch dem Freund selber nützte.

Ohne dass Sigi darauf geachtet hatte, war er in die Gegend hinter dem Bahnhof geraten. Der Abendzug schnaufte gerade heran. Schrankenwärter Brambusch kurbelte die Schlagbäume nieder und wieder hoch.

»Wo strolchst du denn herum, Junge?«, fragte Brambusch. Doch ohne eine Antwort abzuwarten, humpelte er in sein Bahnwärterhäuschen zurück. Den einen Arm schlug er gegen die Brust.

Ja, es ist kalt heute, dachte Sigi.

Er wollte nach Hause. Niemand schien aus dem Zuge ausgestiegen zu sein. Oder doch? Dort schlurfte ein Mann auf die Stadt zu. Er trug einen Pappkarton.

»Ich schleiche mich nah heran. Mal sehen, wann er mich bemerkt.« Sigi huschte mit schnellen Schritten hinter der Gestalt her. Irgendwie kam der Schatten im Schnee ihm bekannt vor. Plötzlich, er war vielleicht bis auf zwanzig Schritte herangekommen, zuckte er zusammen und blieb stehen. Er kniff die Augen zu schmalen Schlitzen zusammen, damit er schärfer sehen konnte.

»Du spinnst, Sigismund Waldhoff«, sagte er zu sich selber. Aber der Gedanke ließ sich nicht vertreiben.

Er ging schneller. Er wollte es genau wissen. Der Mann hörte die Schritte hinter sich und schaute sich ängstlich um. »Vater«, schrie Sigi. »Vater!« Er flog auf ihn zu. Der Mann ließ seinen Pappkarton in den Schnee fallen.

»Und Gänsebraten gibt es«, stammelte der Junge.

# 22

Frau Waldhoff musste sich an der Stuhllehne festklammern, so fuhr es ihr in die Glieder, als sie ihren Mann plötzlich in der Tür stehen sah. Es gab viele Fragen. Das Verfahren sei aufgehoben, hatte man Waldhoff kurz beschieden. Zu einer Verhandlung werde es nicht kommen, weil der Staatsanwalt nichts Rechtes beweisen könne. Die Zeugenaussagen seien eben doch zu verwaschen und unzureichend, um eine Anklage auf Mord zu rechtfertigen.

Frau Waldhoff hingegen berichtete von den Freundlichkeiten der Nachbarn. Ihr fiel die Gans ein. Geschwind rückte sie den Bräter vom Rand der Herdplatte wieder auf die Kochringe.

»Du sollst sehen, Bernhard, es wird alles wieder gut.«

»Alles wohl nicht«, sagte Ruth bitter. Waldhoff strich ihr über das Haar. »Gewogen und zu leicht befunden«, murmelte er.

Spät in der Nacht hielten sie ein richtiges Festmahl. Das zarte Fleisch ließ sich mit der Zunge zerdrücken. Aus irgendeinem Winkel hatte Mutter eine Flasche Rotwein geholt. Der funkelte in den Gläsern. Auch Sigi bekam einen Schluck.

Erst als die Glocken zur Christmette läuteten, verlöschten bei Waldhoffs die Lampen.

Die Weihnachtstage vergingen, das neue Jahr wurde festlich begrüßt. Viele Hoffnungen verknüpften sich mit ihm. Doch die Hoffnung der Waldhoffs, dass vielleicht die schlimmsten Monate endgültig vorüber seien, die konnte es nicht erfüllen. Solange Waldhoff im Gefängnis gewesen war, solange Gericht und Urteil bevorzustehen schienen, brachte keine Zeitung mehr das Thema Kindesmord auf die Titelseite. Selbst an den Stammtischen im Städtchen und vor den Ladentheken redeten die Bürger inzwischen über andere Dinge, über andere Menschen.

Aber Waldhoff war frei, frei, ohne Strafe, ja ohne Verhandlung. Mehlbaum geiferte, er habe es ja immer schon gesagt, das Judentum habe einen langen Arm. Niedergeschlagen worden sei das Verfahren, vertuscht werden solle die Tat, man wolle Gras darüber wachsen lassen. Aber solange er seinen Mund aufmachen könne, so lange werde es keine Ruhe geben, bis dem Täter Waldhoff die Schlinge über den Kopf gezogen werde.

Mehlbaum war zu wenig angesehen in der Stadt, als dass sein Hass großen Einfluss gehabt hätte. Von Ost bis West und von Nord bis Süd jedoch war mit einem Male die »Mordaffäre« wieder für dicke Balkenüberschriften gut. In Leipzig schrieb man von »peinlichem Aufsehen«; in Berlin gab es Protestversammlungen, obwohl die Hauptstadt an die sechshundert Kilometer weit entfernt war; in

Frankfurt wusste man davon, dass eine weltweite Sammlung der Juden der Familie Waldhoff eine sorgenlose Zukunft bereiten sollte. Der Innenminister wurde angegriffen; zwei Abgeordnete der Kammer drohten mit einer Beschwerde.

Eine Weile widerstanden die Nachbarn der Welle von Drohungen, Beleidigungen und Schmähungen. Kurze Zeit schien es so, als siege in ihnen die Einsicht, dass sie ja Waldhoff viel besser kannten als alle die, die mit scharfer Feder einen Skandal heraufbeschwören wollten. Die Prüfung kam für die Menschen der Stadt zu unerwartet, zu plötzlich. Dreikönig war gerade vorüber, da stiegen aus dem Nachtzug mehr als vierzig Männer. Vor dem Bahnhof stellten sie sich in Reih und Glied der Größe nach auf. In Dreierreihen marschierten sie in die Stadt ein. Längst waren in den Häusern die Lichter erloschen. Nur aus den Kneipen leuchtete noch trüb der Lampenschein. Die Stiefel der Marschkolonne schlugen auf das Pflaster. Sie hämmerten den Takt zu ihren Liedern. Von Deutschland, von Freiheit, vom Kampf und Sieg sangen sie. »Soldaten«, dachte mancher und drehte sich auf die andere Seite.

Aus Schollendorfs Gaststube torkelte ein später Zecher. Es war der Kutscher Johann Maluk. Eine Weile stierte er in die Kolonne, schulterte dann seinen Peitschenstock und schloss sich dem Zuge schwankend an. Der Gleichschritt riss seine unsicheren Beine mit. Mit den Liedern ging es nicht so leicht. Schließlich tat er seiner schweren Zunge den Gefallen und grölte das Heideröslein.

Die Männer im Glied machten mit ihm nicht viel Federlesens. »Schwein« war das einzige Wort, das sie für ihn hatten. Eine Faust warf ihn zu Boden. Hart schlug er mit dem Kopf gegen den Bordstein. Still lag er im schmutzigen Schnee. Der Gleichschritt-tausendfüßler zog weiter. Unbeirrt. Ohne Umweg. Voran ein Mann, der sich auskannte. Keinen Schritt gingen sie zu viel.

»Es sind keine Soldaten«, sagte Karl, der hinter den Vorhängen herausschaute. »Es sind Männer ohne Uniformen.«

Herr Ulpius lag halb im Schlaf.

»Sie biegen in die Mühlenstraße ein.«

Herr Ulpius richtete sich auf. Er horchte.

»Öffne das Fenster, Junge.«

»Sie singen nicht mehr. Ihr Marschtritt ist nicht mehr zu hören.«
Herr Ulpius zog sich hastig an.

»Wo willst du hin, Theo?«, fragte Mutter ängstlich.

»Ich will nachsehen, was dort getrieben wird.«

»Halt dich doch heraus, Theo. Was geht uns das an? Leg dich ins Bett, und zieh dir die Decke über die Ohren.«

»Sei still. Das verstehst du nicht.«

»Warum mischst du dich ein? Die Leute sehen uns schon wieder schief an. Ich verstehe dich nicht.«

»Tschüss, Mutter«, sagte Herr Ulpius und knöpfte den Mantel zu. In der Tür drehte er sich noch einmal um und rief ihr zu: »Du verstehst mich schon, nicht wahr? Ich möchte am liebsten auch den Kopf in den Sand stecken. Aber das ist nicht richtig. Bequem ja. Aber nicht richtig. Willst du einen bequemen Mann, der es auch noch falsch macht?« Er lachte, als sie sich umdrehte und »Ach, geh schon« sagte. An der Tür wartete Karl bereits.

»Bleib du mit der Nase zu Hause, Junge. Diese Nacht ist nicht für Kinder.«

»Das wäre doch nicht richtig, Vater, wie?«

Der Vater gab ihm einen Klaps. »Du hast es faustdick hinter den Ohren. Bei dir möchte ich später nicht Schüler sein.«

Sorgfältig schloss Vater die Tür hinter sich ab. Sie hasteten die Straße entlang.

»Riechst du nichts?«, fragte Karl.

Herr Ulpius schnüffelte. »Verbrannt riecht es, nicht?«

»Ja.«

»Der Rauch aus den Schornsteinen wird durch das Wetter niedergedrückt.«

»Riecht aber stark.« Sie gelangten in die Mühlenstraße. Da sahen sie, dass es nicht der Qualm der Kamine war. Vor Waldhoffs Haustür loderten die Flammen.

»Männer, angetreten!«, schrie der, der die Kolonne hergeführt hatte. Das Durcheinander der dunklen Gestalten reihte sich und erstarrte im Block.

»Männer!« Der Anführer schrie, als ob er ein ganzes Bataillon Soldaten vor sich hätte. »Wir haben heute dem Vaterland einen

Dienst erwiesen. Wir haben einen Schandfleck in dieser Stadt ausgemerzt. Freiheit und Gerechtigkeit müssen erkämpft werden. Was eine lahme Justiz nicht fertigbringt, das schafft deutsche Männerkraft!« Er warf noch einen Blick in die Flammen und war zufrieden. Die Tür brannte hellauf.

»Rechts um!« Die Absätze klapperten. »Abteilung – marsch!«

Herr Ulpius lief auf den Brandherd zu. Krachend barst die Haustür. Im Flammenschein sah Karl, wie Waldhoffs erschrocken die Treppe hinaufrannten. Die Glut war bis an den Treppenfuß gefallen.

»Feuer! Feuer! Nachbarn! Feuer!«, schrie Herr Ulpius. Zögernd öffneten sich die Türen. Die Männer und Frauen traten heraus. Bald standen sie im Halbkreis vor Waldhoffs Haus. Herr Ulpius rannte von einem zum andern und schrie: »Die Eimer! Holt die Feuerwehr! Warum löscht ihr nicht? Ruft Brandmeister Hoppe. Helft! Helft doch!«

Schweigend starrten die Nachbarn vor sich hin oder in die wachsenden Flammen, die schon an der Theke leckten.

Da packte Herr Ulpius Gerd Märzenich vorn am Kragen: »Was ist? Warum steht ihr nur und seht zu, wie ein Haus abbrennt?«

Der Schmied schüttelte Herrn Ulpius ab, zog sich die Jacke wieder zurecht und sagte: »Sie haben es herausgeschrien, bevor sie den Brand legten. Sie wollen jedem das Haus über dem Kopf anzünden, der hier Hand anlegt und löscht.«

Spöttisch hielt er Herrn Ulpius zwei Eimer hin. »Wenn Sie es selbst versuchen wollen, bitte schön.«

Herr Ulpius riss ihm die Eimer aus der Hand.

»Komm!«, befahl er Karl. Schweigend öffnete sich der Halbkreis. Sie rannten die paar Schritte zur Pumpe. Karl pumpte mit aller Kraft. Der Strahl schoss in den Eimer, Herr Ulpius goss das Wasser in die Flammen. Es zischte auf. Weiße Dampfwolken mischten sich mit dem beißenden Qualm. Irgendwer stellte noch zwei Eimer unter die Pumpe. Als Herr Ulpius zum siebten oder achten Male gelaufen war, stieß er hervor: »Los, Karl, los! Wir schaffen es. Waldhoff und Sigi löschen von innen. Sie holen das Wasser vom Brunnen im Hof.«

Karls Herz hämmerte. Die Brust schmerzte. Die Arme waren taub.

Er stieß den schweren Pumpenschwengel hoch und riss ihn herunter, wieder und wieder. Allmählich wurde der Feuerschein schwächer, dunkler. Noch zwei, vier Eimer. »Es ist genug, Junge.« Herr Ulpius schleppte die letzten vollen Eimer weg. Die Nachbarn waren in ihre Häuser zurückgegangen. Nur Mehlbaum grollte: »Das werden Sie noch bereuen, Herr Ulpius. Bereuen werden Sie es.« Er schüttelte seine Faust gegen das Waldhoff'sche Haus.

»Kommen Sie herein«, bat Waldhoff. Karl entdeckte Sigi. Sie gingen ins Wohnzimmer. Frau Waldhoff hatte den Docht hochgedreht. Hell leuchtete das Licht.

»Du siehst vielleicht aus!«, sagte Karl, als er das rußgeschwärzte Gesicht von Sigi sah.

»Sieh dich mal selbst an«, lachte der.

Frau Waldhoff goss Beerenschnaps in kleine Gläser. Die Männer stießen an und tranken. Herr Waldhoff atmete ein paarmal tief und wollte irgendetwas sagen. »Wir sind Ihnen sehr . . .«

»Lassen Sie es gut sein, Waldhoff«, fiel Herr Ulpius ins Wort. »Wenn es bei mir einmal brennen sollte, dann vergessen Sie die Eimer nicht.«

»Ganz bestimmt nicht, Herr Ulpius«, rief Sigi.


## 23

Es roch nach frisch gehobeltem Holz in Waldhoffs Haus. Nur feine Nasen entdeckten eine Spur des Brandgeruchs. Frau Waldhoff und Ruth arbeiteten emsig in der Küche. Es war Freitag. Das Essen musste in die Röhre. Morgen durfte es lediglich auf den Tisch gestellt werden. Um sechs Uhr am Abend begann der Sabbat. Alles musste dann für den Ruhetag gerichtet sein. Niemand arbeitete an diesem Tag bei Waldhoffs. Kochen, fegen, spülen, das ist Arbeit. Der Sabbat ist ohne Arbeit; Ruhetag; Tag zum Lobe des einen Gottes.

In der Werkstatt war es lebendig. Seit langem hatte Waldhoff die erste Arbeit unter den Händen. Mendel Sosanner aus dem Nachbarort hatte einen Grabstein bestellt. Arbeit! Wie schwang Waldhoff den Hammer! Wie herrlich klang es in seinen Ohren, wenn der Meißel den Stein traf. Sigi half. Der Grabstein war fast fertig. Lediglich einige Buchstaben der Schrift fehlten noch. Waldhoff hatte die Brille aufgesetzt. Feiner weißer Staub haftete auf seiner Haut. Sigi reichte ihm den schmalen Meißel. Sicher und ruhig führte Waldhoff das Eisen. Die feinen Rillen gruben sich in den Stein. »Darf ich versuchen den letzten Buchstaben zu schlagen, Vater?«

»Meinst du, du schaffst es?«

»Ganz bestimmt. Du kannst ja zusehen und mir raten.«

»Man muss es in der Hand spüren, Junge, mit sprechen ist gar nichts getan.« Unschlüssig wog er einen Augenblick den Meißel in der Hand, warf ihn dann aber Sigi zu. Sigi setzte den Stahl an, schlug zu, schob den Meißel weiter, Schlag auf Schlag, nicht zu hart, eher ein wenig geschmeidiger als Waldhoff selber, und führte den Buchstaben aus, ohne zu stocken oder gar auszugleiten.

»Bravo, Junge. Ich glaube, du hast es tatsächlich in den Händen. Was meinst du dazu, wenn wir später in eine größere Stadt ziehen und du dort eine Lehre als Steinmetz beginnst?«

»Das möchte ich gern, Vater.« Mit einem Ziegenhaarpinsel säuberte Sigi die Grabplatte.

»Darf ich zu Karl?«, bat er schließlich. »Wir wollen nach dem Lernen Schlittschuh fahren.« Waldhoff sah, dass Sigi seine Arbeit gut gemacht hatte. Das Brennholz lag in der Küche gestapelt, die Schuhe standen geputzt an ihrem Platz. Er stimmte zu.

»Aber zieh dir die Mütze bis über die Ohren«, erinnerte ihn die Mutter. Es hätte keiner Mahnung bedurft. Die Kälte war seit Wochen nicht gewichen. Jeden Tag, den ganzen Januar lang, war der Himmel blau gewesen und der Nordostwind blies beständig sibirische Kälte ins Land. »Stell dir vor, der Rhein ist zugefroren!«, empfing Karl den Freund. »Die Apostel sollen eine Brücke über die Schollen gebaut haben. Man kann ans andere Ufer kommen. Sogar Pferd und Wagen trägt das Eis. Ich darf heute hin. Vater hat mir einen Groschen gegeben.«

»Wozu brauchst du einen Groschen?«

»Sie kassieren Brückengeld, wenn man hinüberwill.«

»Ich gehe mit, Karl. Du kannst mir ja unterwegs erzählen, was ihr heute gelernt habt. Vergiss die Schlittschuhe nicht.«

Bald trabten die Jungen los. Sigi hatte sich seinen Schal so um den Kopf gebunden, dass nur noch ein schmaler Schlitz für die Augen frei blieb. Bald gelangten sie in die Flussniederung. Das Adventshochwasser hatte die Wiesen bis zum alten Flussarm hin überschwemmt. Der Frost fror das Wasser zu einem riesigen, glatten Spiegel, noch ehe es sich verlaufen konnte. Sie schnallten ihre Schlittschuhe unter. In geübten Schritten glitten sie über das Eis.

»Wer ist zuerst an der Weide drüben?«, forderte Karl Sigi heraus. Er ließ Sigi einen kleinen Vorsprung. Dann setzte er nach, den Oberkörper weit vorgebeugt, die Arme auf dem Rücken verschränkt. Sigi schwang seine Arme wild, strengte sich an, kämpfte. Aber es war heute wie stets, Karl konnte er nicht schlagen.

Das letzte Stück bis zum Damm fuhren sie nebeneinander. Dann stöckelten sie die Dammböschung hinauf. Vor ihnen lag der starre Strom. Scholle hatte sich über Scholle getürmt, ein weites Feld von Eisspitzen und Eisblöcken. Die schmale schwarze Fahrtrinne inmitten der Schollen, die bislang noch offen gewesen war, war verschwunden. »Wirklich, ganz zugefroren. Vater sagt, das ist seit vierundzwanzig Jahren nicht mehr da gewesen.«

Dort, wo in den anderen Jahreszeiten die Fähre über den Strom schwamm, bewegten sich viele schwarze Punkte auf dem Eis, hinüber und herüber. »Wie eine Ameisenstraße«, sagte Sigi.

Sie banden die Schlittschuhe zusammen und hängten sie über die Schulter. Der Pfad auf der Dammkrone war ausgetreten, und sie kamen schnell vorwärts. Am Fährkopf drängten sich viele Menschen. Die meisten wollten den Weg über den Strom wagen und waren gern bereit, den Aposteln die fünf Pfennige, die sie forderten, zu zahlen. Die Fischer hatten sich große Arbeit damit gemacht, durch das Schollengebirge einen halbwegs gangbaren Weg zu bahnen. Eisblöcke waren zur Seite gewälzt worden, sie hatten Vertiefungen mit Eisstücken und Schnee aufgefüllt, dann aus einem Eisloch Wasser geschöpft und darübergegossen.

Das Ergebnis war eine wagenbreite Fahrspur bis auf die andere Stromseite hinüber. Ganz richtig hatten die Apostel die Lust der Leute eingeschätzt, gefahrlos zum anderen Ufer gelangen zu können. Nun klimperten die Fünfer in ihren Lederbeuteln. Sie lachten und scherzten mit den Frauen und Männern. Sie waren zufrieden. Am Abend beteten sie darum, dass das Wetter noch bis weit in den Februar hinein nicht umschlüge. Vor allem vom Sonntag versprachen sie sich ein Geschäft, das ihnen ein schönes Stück Geld bringen sollte. Für Samstag hatten sie eine Anzeige in den Blättern der nahen Großstädte aufgegeben, in der das »Abenteuer der Flussüberquerung trockenen Fußes« angepriesen wurde.

Sigi und Karl schauten zunächst zu. Doch Karl juckte der Groschen in der Tasche. Er wäre längst auf dem Eis gewesen, aber ohne Sigi mochte er nicht gehen. Sigi aber hatte keinen Groschen.

»Willst du nicht übers Eis?«, fragte Sigi schließlich.

»Ich möchte schon. Aber was machst du?«

»Ich vertreibe mir hier die Zeit. Oder bleibst du hier?«

»Ich möchte schon hinüber. Es soll in der Mitte knacken und knirschen. Man kann den Strom spüren. Wir können ja beide gehen, wenn . . .«

»Wenn ich einen Groschen hätte«, ergänzte Sigi.

»Vielleicht auch so. Meinst du, die lassen uns nicht mehr zurück?«

»Ohne Fünfer nicht. Da könnte ja jeder kommen.«

»Hin kommen wir mit dem Geld. Drüben steht Willem. Der kennt uns. Meinst du, er lässt uns drüben verschmachten? Der drückt bestimmt ein Auge zu, wenn wir ihm sagen, dass wir keinen Pfennig mehr haben.«

»Also gut«, stimmte Sigi zu. »Wenn wir erst mal drüben sind, dann wollen wir weitersehen.«

Karl warf den Groschen in den Geldbeutel und sagte: »Für uns zwei.« Klas gab ihnen zwei rote Karten, die ein Stückchen weiter von Jost halb durchgerissen wurden. Der Eisweg war glatt. An einigen Stellen stiegen zu beiden Seiten die Schollen mehr als mannshoch auf. Die Sonne stand schräg am Horizont. Das Eis funkelte kalt und blau. Sie gingen absichtlich langsam, um den Groschen voll auszukosten. In der Strommitte legte Karl seine Hand auf das Eis.

»Fühl nur, Sigi, man spürt das Wasser tatsächlich. Es strömt und strömt.«

Lange konnten sie die Hände nicht auf dem Eise liegen lassen. Die Jungen schlugen das Blut in die Fingerspitzen, damit sie wieder warm wurden. Allmählich ließ der Verkehr auf der Eisbrücke nach. Die Sonne sank tiefer, und tiefer und mit ihr schwand die Illusion von Wärme. Die Spaziergänger machten sich auf den Heimweg. Karl und Sigi verließen die Brücke und kletterten auf den Damm. Aber nicht Willem kassierte hier die Fünfer. Aus irgendeinem Grunde stand Mehlbaum da und verlangte blaue Karten für den Rückweg. Vom Damm aus konnten sie die Türme der Großen Kirche deutlich sehen und auch die grauweißen Tupfen der Dächer hoben sich aus der klaren Frostluft. Die Jungen schoben die Rückkehr immer wieder ein paar Minuten hinaus. Keiner getraute sich, Mehlbaum zu fragen, ob er sie einmal, ein einziges Mal ohne Geld über die Brücke gehen ließe. Gegenseitig versuchten sie, sich das Vorrecht zuzuschieben, die Frage auszusprechen. Sigi, der einsah, dass seinetwegen kein Geld mehr da war, meinte, Karl lebe in Frieden mit Mehlbaum und überhaupt, ihm, dem Judenjungen, würde wahrscheinlich niemand aus der ganzen Stadt, auf keinen Fall aber Mehlbaum, einen solchen Gefallen tun.

»Wenn du nicht fragen willst«, sagte schließlich Karl, »dann müssen wir eben ohne Brücke über das Eis zurück.«

»Warum eigentlich nicht?« Sigi wunderte sich, dass ihm nicht bereits eher dieser Gedanke gekommen war. Schlimm konnte die Kletterei nicht werden. Den dicksten Schollen gingen sie eben aus dem Weg. Sie liefen ein Stück stromauf, damit keiner sie zurückrufen konnte. Anfangs kamen sie gut vorwärts. Doch je mehr sie sich der Strommitte näherten, desto unwegsamer wurde das ineinandergeschachtelte Eis. Immer häufiger mussten sie auf allen vieren über die spitzen Eisblöcke klettern.

»Ich spüre meine Hände und Füße schon gar nicht mehr«, klagte Sigi. Karl biss die Zähne zusammen. »Hätte ich doch nur gefragt«, knurrte er. Er schaute zurück. Sie hatten schon mehr als die Hälfte geschafft. Der Rückweg war bestimmt noch weiter.

Sie erreichten eine riesige Scholle, die, leicht geneigt, fast zwei Meter tiefer lag als das Eisgebirge rundum.

»Wir müssen hinunter«, sagte Karl. »Wenn wir erst unten sind, kommen wir ohne Mühe dreißig oder vierzig Meter weiter.« Vorsichtig ließen sie sich über die Kante gleiten und sprangen das letzte Stück hinab. Es wurde schnell dunkel. Eilig überquerten sie die Scholle. Ein helles Sirren klang auf im Eis. Darauf folgte Knattern, Donnern schließlich, und polternd stürzte eine Eisbarriere auf den Rand der Scholle. Sie zitterte, ächzte, aber splitterte nicht. Karl musste seine Hände zusammenlegen und sich mit dem Rücken gegen die Steilwand stellen, damit Sigi seine Handstufe und die Schulter als Leiter benutzen konnte. Dann reichte Sigi ihm die Arme hinunter und Karl versuchte hochzuklimmen. Zweimal glitt er ab, doch dann fassten seine Ellbogen die Eiskante. Er schaffte es.

Sigi hob seinen Handschuh an und hauchte hinein. Seine Finger waren steif. Seine Zehen schmerzten. Er war ein wenig benommen.

»Lass uns eine Pause machen und verschnaufen«, schlug er vor. Doch Karl drängte: »Los, weiter, weiter. Ich habe gehört, dass man erfrieren kann, wenn man sich setzt. Niemand findet uns hier. Los! Auf!«

Er ging voran. Sigi folgte ihm nur widerwillig. Schließlich wurde er langsamer und langsamer.

»Quatsch, Karl. Von einer kleinen Pause ist noch niemand gestorben. Ich setze mich einen Augenblick hin. Du kannst ja machen, was du willst.«

»Es sind höchstens noch fünfzig Meter bis zum Ufer, Sigi. Mach bitte keine Rast. Es ist bestimmt gefährlich.«

»Wenn du gefragt hättest, dann wären wir längst drüben«, murrte Sigi, aber es klang eher weinerlich als böse.

Karl, der bereits einige Meter weiter vorn war, schaute sich um. Da setzte sich Sigi auf eine Eisstufe und blickte ihn herausfordernd an.

»Das ist dein Tod, Sigi; los, auf! Lass dich nicht hängen!«

»Lass mich in Ruhe. Geh nur voraus. Ich komme dann schon.«

Karl sprang zu ihm zurück und rüttelte ihn.

»Komm jetzt, Sigi. Zum letzten Male: Komm jetzt!«

Aber Sigi rührte sich nicht. Da holte Karl aus und schlug Sigi gegen seine Mütze, gegen den Schal, boxte ihn hart in die Seite. Sigi sprang auf, stürzte fast. Die Schlittschuhe fielen auf das Eis, Tränen rollten ihm aus den Augen.

»Du Feigling! Warum schlägst du mich? Lass mich in Ruhe!«, heulte er. Doch er ließ sich vor Karl hertreiben.

»Du Feigling, du hinterlistiger Feigling!«, schimpfte Sigi. »Damals, als sie Vater wegschleppten, da hast du mich im Stich gelassen. Und jetzt schlägst du mich.«

»Mir ist es ganz gleich, was du sagst. Los! Weiter!«

Karl warf sich Sigis Schlittschuhe über die Schulter. Endlich wurden die Schollen kleiner. Sie erreichten den Schnee, den Damm. Sigi wischte sich die Augen. Karl hängte ihm die Schlittschuhe wieder über. Sie warfen noch einen Blick auf die Brücke. Die lag verlassen im Licht des Schnees. Kein Mensch war mehr zu sehen, die Apostel nicht und auch Mehlbaum nicht.

»Wir Esel«, sagte Karl. »Warum haben wir nicht ein wenig länger gewartet? Niemand mehr hätte uns Geld abverlangt.«

Schweigend trottete Sigi neben ihm her. Die Schlittschuhe klirrten im Takt der Schritte. Erst vor der Haustür sagte er: »Danke, Karl.«

»Wofür?«, wehrte der ab.

»Für die Ohrfeigen.« Er ging davon. Doch dann drehte er sich noch einmal um und rief: »Aber ich zahle sie dir bei Gelegenheit zurück!«

»Gemacht«, lachte Karl.

Als Sigi leise in den Laden schlüpfen wollte, war die Tür verriegelt. Er klopfte.

»Wer ist dort?«, hörte er Mutters Stimme. Gleich merkte er, dass irgendetwas nicht stimmte.

»Ich bin es, Mutter.« Sie erkannte seine Stimme.

»Endlich, Junge.«

Er hörte das Knirschen des Riegels. Die Tür öffnete sich. Er sah Mutters blasses Gesicht. Sie hatte geweint.

»Hast du dir Sorgen um mich gemacht, Mutter?«

»Nein, Junge. Es ist wegen Vater.«

»Was ist mit Vater, Mutter, was haben sie ihm getan?«

Mit einem Male saß die Angst wieder in ihm, das Herz schlug hart, sein Magen schmerzte.

»Sie haben ihn vor einer Stunde geholt.«

»Verhaftet?«

»Ja, Junge. Wieder verhaftet.«

## 24

*D*iesmal hatten sie ihm nicht die Zeit gelassen, seine Angelegenheiten zu regeln. Gleich drei fremde Polizisten waren gekommen. Korrekt und barsch hatten sie getan, wie ihnen in der Kreisstadt befohlen worden war; dort wiederum hatte man eine Weisung des Sekretärs aus Berlin befolgt, die dieser aus dem Unbehagen im Innenministerium und aus ein paar Bemerkungen des Ministers abgeleitet hatte.

Verstört standen die beiden Frauen und Sigi um den Tisch. Schließlich entzündete Frau Waldhoff die Kerzen der Sabbatlampe. Sigi sprach den Segen über den Wein im silbernen Kidduschbecher und über die beiden geflochtenen Brote. Das Abendbrot blieb unberührt. Frau Waldhoff wollte sich zwingen, ein wenig zu essen, aber schließlich gab sie es auf. Sie erhob sich schwerfällig, ging in die gute Stube und trug die Thorarolle herein, die sie von ihrem Vater geerbt hatte. Es war eine sehr alte Schrift, die durch viele Generationen in der Familie von zittrigen, faltigen Händen in glatte, junge weitergegeben worden war. Bislang hatte Waldhoff aus dieser kostbaren Schrift nur vorgelesen, wenn sie beim Passahfest zusammensaßen und feierten. Frau Waldhoff bezeichnete den Abschnitt. Sigi las vor. Seine Stimme klang rau und brüchig. Gleich an den ersten Zeilen erkannte er, dass Mutter den Bericht vom Auszug des geknechteten Volkes aus Ägypten ausgewählt hatte. Er hielt nicht ein, bis er an jene Stelle kam, die schilderte, wie der Pharao Rosse und Reiter rüstete und sich aufmachte, das fliehende Volk zu verfolgen.

Seine Augen hafteten noch auf dem Pergament, auf den wunderlich geschlagenen Buchstaben. Er schwieg. In die Stille hinein sprach Mutter: »Wenn der Sabbat vorüber ist, werden wir ziehen.«

»Du meinst, wir gehen ganz fort von hier?«, fragte Ruth.

»Ja, wir ziehen nach Neuß.«

»Nur weg von hier, nur weg.« Ruth sprang auf. Der Gedanke, dass sie diesem Orte bald den Rücken kehren würden, belebte sie.

Auch Sigi atmete auf. Endlich würde es etwas zu tun geben. Endlich sollte dieses elende Warten ein Ende nehmen, dieses Warten auf irgendetwas, das niemand genau kannte, das niemand zu greifen vermochte, und das sich drohend und schwer über das ganze Haus gelegt hatte. Neuß, das war vielleicht ein Ausweg. Viele Überlegungen wurden notwendig, ein langer Marsch stand bevor. Es gab etwas zu tun, seine Hände konnten zugreifen, seine Füße ausschreiten, es ging auf ein Ziel zu. Endlich sollte dieses elende Warten ein Ende nehmen. Plötzlich spürte er seinen Hunger. Er begann zu essen. Es schmeckte ihm wieder. Ruth ging es ebenso. Auch Frau Waldhoff wurde ruhiger, als die Entscheidung gefallen war. So kamen sie doch noch zu ihrem Abendbrot.

Ruth hätte am liebsten gleich ausgesondert und gepackt. Sigi fiel ein, dass er den Handkarren unbedingt schmieren musste. Die Räder an der Hinterachse quietschten. Doch es war Sabbat. Es blieb also bei den Plänen.

Am Nachmittag klopfte Karl an die Tür. »Seid still«, flüsterte Ruth. »Niemand darf es wissen.«

Doch Sigi sagte: »Ich lege für ihn die Hand ins Feuer.«

Mutter gab ihm einen Wink. Er ließ Karl hereinschlüpfen. »Wie geht es dir?«, fragte Karl. »Was machen Hände und Füße?«

»Sie schmerzen nicht mehr. Das ist auch gut so. Wir haben in der Nacht noch einen weiten Weg vor uns.«

»Wollt ihr verreisen?«

»Wir werden fortgehen.«

»Ganz fort aus der Stadt?«

»Ja.«

»Wirst du mir sagen, wohin ihr zieht?«

»Dir schon, wenn Mutter es erlaubt.«

»Warum sollte ich es nicht erlauben, Junge?« Dann sagte sie es selbst: »Wir ziehen nach Neuß, aber es ist besser für uns, wenn es nicht alle wissen.«

»Ich werde es nicht verraten, Frau Waldhoff.«

»Nein, Junge, ich weiß es.«

»Wann kommt ihr zurück?«, fragte Karl.

»Wenn Vater wieder da ist, dann kommen wir wieder in die Stadt, nicht wahr, Mutter?«

»Vielleicht, Junge. Aber warten wir lieber, was Vater selbst dazu sagt.«

»Wenn es nach mir geht«, widersprach Ruth, »kommen wir nie mehr hierher zurück.«

»Aber warum denn, Ruth? Vater ist unschuldig. Es wird sich zeigen.«

Sigi rückte ein wenig näher zu Karl. Mutter blickte auf die beiden. Ein Lächeln zitterte über ihr Gesicht. »Meinst du, es würde je wieder sein wie vor dem Peter-und-Pauls-Tag?«

Karl antwortete für Sigi: »Es wird den Leuten leid tun. Sie werden besonders nett zu euch sein.«

Mutter ließ sich mit der Antwort Zeit. Doch dann sagte sie: »Sie werden uns stets als Vorwurf empfinden. Es wird nie wieder so sein können, wie es früher war.«

Karl ging bald wieder fort. Er versprach, Sigi bis auf den Hügel vor der Stadt zu begleiten, wenn sein Vater nichts dagegen hätte.

Als der Sabbat vorüber war, schafften die Waldhoffs all das in die Werkstatt, was sie mit nach Neuß nehmen wollten. Bald hatten sie so viel zusammengetragen, dass es auf drei Wagen nicht zu verpacken gewesen wäre. Frau Waldhoff schleppte die kleine Kiste mit der Bettwäsche in die Kammer zurück, und Ruth stapelte die Tuche und Laken wieder in die Aussteuertruhe. Allein auf Tante Judiths Kissen, ihr erstes Stück, mochte sie nicht verzichten. Sigi spannte endlich eine feste Segeltuchplane über den Wagen.

»Setzt euch in die Stube«, sagte Mutter. »Wir brauchen ein kräftiges Essen, bevor wir uns auf den Weg machen.«

»Warum, Mutter? Ruth und ich haben bestimmt keinen Hunger. Lass uns gleich losziehen.«

»Nein, es ist zu früh. Wenn die Straßen leer sind, wenn die Menschen in ihren warmen Stuben schlafen, dann erst wollen wir fliehen.«

»Ich werde dir helfen, Mutter«, bot Ruth an. Mutter schob sie ins Wohnzimmer.

»Kind, lass mich. Ich möchte allein sein. Ganz allein. Ich will Auf Wiedersehen sagen. Der Herd – die Töpfe – das Geschirr, ach . . .«

Sie lief in die Küche und zog die Tür hinter sich zu. Sigi lehnte seine Stirn gegen die Scheibe. Das Eis auf dem Pflaster blinkte. Die Häuser lagen im schwarzen Schatten. Über den beschneiten

147

Dächern schwebte der Mond, klar und kalt. Die Sterne funkelten. Der Turm der Großen Kirche stach hoch und spitz in den Himmel.

Ruth trat neben den Bruder und legte ihm den Arm um die Schultern. »Karl hat mir versprochen, dass ich im Sommer mit in die Glockenstube darf. Vielleicht sind wir im Sommer längst wieder zu Hause.«

Schritte knirschten. Ein Schatten glitt am Fenster vorüber.

»Es ist Karl.« Sigi lief zur Tür und hielt die Klingel. »Darfst du mit?«

»Ja. Vater hielt es für selbstverständlich.«

»Was sagt deine Mutter?«

»Sie wird kein Auge zutun, bis ich die Tür wieder von innen verschlossen habe, hat sie gesagt.«

Frau Waldhoff brachte heiße Milch, Brot, Butter und Käse. Dazu stellte sie den Honigtopf. Ruth zündete das Licht an.

»Lasst Honig in eure Milch tropfen. Das ist gut gegen die Kälte.«

»Es ist sehr kalt«, sagte Karl.

Frau Waldhoff lächelte verschmitzt. »Nimm nur reichlich Honig, Junge. Der Topf kann leer werden.«

Karl wurde rot. Er tröstete sich damit, dass er so weit von der Lampe entfernt saß, dass niemand es sehen konnte.

Die Milch lief dick und süß über die Zunge.

»Weißt du noch, letzten Sommer auf Schapendyk?«

»Weißt du noch, als wir uns bei dem Gewitter in den hohlen Baum zwängten?«

»Weißt du noch . . . – Weißt du noch?« Es war, als ob die Jungen die vielen Erlebnisse beschwören wollten, um die Zeit aufzuhalten. Doch die Uhr der Großen Kirche schlug alle Viertelstunden. Die Schläge mehrten sich bei jedem vollen Kreis des großen Zeigers.

Frau Waldhoff ging zum letzten Male durch das dunkle Haus. Jeder Schritt war ihr vertraut. In jedes Zimmer trat sie. Das Nachtlicht fiel durch die Fenster und Schränke, und Truhen hockten wie düstere, ungeschlachte Schattentiere auf ihren Plätzen.

Jede Tür verschloss sie sorgfältig, zog die Schlüssel ab und streifte sie über den Schlüsselring. An der Ladentür quietschten die Riegel. In der Küche goss sie Wasser in den Herd. Die Asche zischte leise auf.

»Wir wollen gehen.« Sie band sich ihr schwarzes Wolltuch um den Kopf. Sigi streifte seine Handschuhe über.

Durch die Werkstatt verließen sie das Haus. Die Räder drehten sich leise. Der Wagen lief leicht. Dort, wo er gestanden hatte, zeigten vier Ölflecke auf dem Boden an, wie gut Sigi ihn geschmiert hatte. Sie mieden die Hauptstraße und nahmen den Weg über den Wall, vorbei an Hinterhöfen und Ställen. Karl und Sigi hielten die Deichsel. Die Frauen liefen nebenher. Nirgendwo brannte in den düsteren Gassen ein Licht. Erst vor dem Stadttor fühlte sich Sigi sicherer. Niemand war ihnen begegnet. Die Straße führte ein wenig bergan. Frau Waldhoff und Ruth schoben jetzt. Die Füße fanden keinen rechten Halt auf dem Eisweg. Der Atem fror vor ihren Gesichtern zu weißem Hauch. Als sie die Kuppe des Hügels schließlich erreichten, schwitzten sie trotz der Kälte.

Karl zog seine Handschuhe aus. Ruth gab ihm die Hand und sagte: »Du bist ein Goldstück, Karl.«

Frau Waldhoff nahm seine Hand zwischen die ihren. »Wenn du mein Sohn wärest, ich wäre stolz auf dich.« Karl war glücklich und verlegen zugleich. Die Frauen nahmen die Deichsel auf. Wie von selber rollte der Wagen die abschüssige Straße den Hügel hinunter.

»Ich komme gleich nach«, rief Sigi.

»Lass dir Zeit, Junge, du wirst uns schon einholen.«

Nebeneinander standen sie, blickten auf die Stadt und auf die Große Kirche und wussten nicht, was sie noch sagen sollten.

Der Wagen war in der Biegung verschwunden.

»Du nimmst mich doch mit auf den Turm?«

»Versprochen ist versprochen.«

»Wie ist es da oben?«

»Ich musste mich fest gegen das Schieferdach lehnen, als ich hinunterblickte. Sobald ich frei stand, wurde ich unsicher und bekam Angst. Die Mauern wiegten sich im Wind. Von oben siehst du die Häuser winzig klein, die Menschen sind wie Zwerge. Na, du wirst es ja selber sehen.«

»Ja, bald. Ich will wieder hierher zurück. Hierher gehöre ich.« Sigi griff in die Tasche und zog ein längliches Päckchen heraus. »Nimm das, Karl.« Karl wog es in seiner Hand. Es war das Messer. Er wusste es. Sigi hatte ihm sein Messer geschenkt. Noch ehe er einen Gedanken gefasst hatte, wie er Sigi danken sollte, wandte der sich plötzlich ab und lief davon. Vor der Biegung drehte er sich noch einmal um und winkte. Dann schluckte ihn die Finsternis.

Karl ging zurück. Der Mond verkroch sich hinter den Dächern. Es wurde dunkler. Karl spürte die Kälte auf seinem Rücken. Er lief schneller. Fest hielt er das Messer in seiner Faust.

»Das Messer werde ich ihnen zeigen, wenn ich diese schlimme Geschichte erzähle. Diese scheußliche Geschichte, diese elende Geschichte«, murmelte er verbissen vor sich hin. Jedes Mal trat er wild in den verharschten Schnee. Die Kristalle splitterten und stäubten hoch auf.

»Diese elende Geschichte«, schrie er gegen die Häuser an. »Diese elende Geschichte.«

Doch die Steine hörten ihn nicht.

## 25

*K*arl hockte auf der Treppe vor dem Haus. Er legte die Hand flach auf die glatte Stufe. Der Stein hatte die Hitze des Tages aufgesogen und fühlte sich warm an, obwohl die Sonne in dieser Stunde nur noch die Dächer streifte und die Firstziegel aufglühen ließ.

Frau Ulpius trat über die Schwelle. Zwei Stühle trug sie herbei. Bald klapperten die Nadeln ihres Strickzeuges.

»Wird wohl noch eine halbe Stunde dauern«, sagte sie. Sie griff nach dem Knäuel. »Ach, die Wolle! Karl, ich habe die Wolle vergessen. Lauf und hole mir einen Strang.«

»Ist der Wollkasten nicht leer, Mutter?«

»Ja. Wir müssen die Wolle vom Frühjahr anbrechen. Die Babett hat sie zurückgebracht. Aber sie ist noch nicht gewogen. Ich schätze, unser Lenaschaf hat diesmal einen dicken Pelz gehabt. Geh, Karl, leg die Wolle auf die Waage, und dann bring mir einen Strang.«

Karl rekelte sich faul. Sie kann mich nicht sitzen sehen, dachte er verstimmt. Im Hause roch es nach abgestandenem Essen. Frau Ulpius hatte für ihren Mann das Mittagessen abgedeckt und in den Backofen geschoben. Karl nahm das Wollpaket aus dem Schrank und ging in die Stube. Mit geschickten Fingern löste er die Verschnürung. Das Paket sprang auseinander, und die gelbliche Wolle quoll hervor, ganz gleichmäßig gesponnen. Dafür war die Babett bekannt. Die zwei Waagschalen hingen im Gleichgewicht. Der Zeiger stand senkrecht genau über der Null. Sieben Strang Wolle passten jeweils in eine Messingschale. Tief sank sie hinunter, und der Zeiger schlug bis über die Messskala hinaus zur Seite.

Gewicht um Gewicht ließ Karl in die andere Schale klimpern. Endlich schwebte die Wolle, der Zeiger pendelte sich ein. Karl wog, verpackte und notierte die Gewichte. Schließlich zählte er zusammen.

»Sechs Pfund und hundert Gramm. Brav, Lenaschaf. Fast ein Pfund Wolle mehr als im letzten Herbst.« Er legte die Stränge in den Wollkasten. Nur einen ließ er in der Waagschale liegen, dazu so viele Gewichtsteine, wie sechs Pfund und hundert Gramm ausmachen. Das waren bis auf die beiden größten Steine alle, die Mutter besaß. Mit Steinen, Waagen und Wolle trat er wieder vor das Haus.

»Was schleppst du alles mit, Karl?«

»Sieh mal, Mutter, so viel Wolle haben wir im Frühjahr geschoren.« Er hielt ihr die Schale mit den Gewichtsteinen hin.

»Hast du die vielen Steine nicht zusammengezählt, Junge? Ich kann das nicht auf einen Blick.«

»Doch, ich habe alles ausgerechnet. Es sind mehr als sechs Pfund, genau hundert Gramm mehr.«

»Ich dachte es mir schon. Die Tiere merken auch, wenn es einen harten Winter gibt. Sie bekommen dann einen dickeren Pelz.«

»Den könnte ich auch gebrauchen.« Frau Ulpius und Karl zuckten zusammen. Unbemerkt war Herr Ulpius herangekommen.

Karl forschte in seinem Gesicht. Doch er konnte nicht darin lesen, wie es in der Kreisstadt stand.

»Wie ist es, Vater«, drängte ihn Frau Ulpius, »wie steht es?«

»Wie soll es sein«, seufzte Vater. »Ich bin bald müde. Drei Tage dauert der Prozess bereits. Zeugen, Zeugen, Zeugen. Dieser weiß etwas und jener noch mehr, und alles läuft darauf hinaus, dass Waldhoff zwar ein ganz guter Kerl sei, man traue ihm so etwas gar nicht zu, aber man habe eben das und das gesehen, aufgeschnappt, vermutet.«

Herr Ulpius nahm die Waage, schüttete die Gewichte in seine Hand und steckte sie in die Tasche.

»Da, Junge, halt die Waage.« – »Einer hat gehört, dass Waldhoffs Junge, der Sigi, zu seinem Vater gesagt hat: ›Ob das wohl herauskommt?‹«

Herr Ulpius warf den kleinsten Stein in die Schale. Der Zeiger schlug um eine Haaresbreite aus. »Ein anderer weiß, dass Waldhoff die Tage nach Peter und Paul verstört herumgelaufen sei.« Wieder klapperte ein Stein in die Schale. »Frau Sippenkuhlen, die er sonst immer freundlich gegrüßt hat, erinnerte sich genau, dass er am Tage nach Peter und Paul wie vor den Kopf geschlagen dicht an ihr vorbeigelaufen sei, ohne sie auch nur zu bemerken.«

Das Gewicht schlug auf, der Zeiger zitterte nach links. Herr Ulpius wog nun einen schweren Gewichtstein in der Hand. »Gestern war Mehlbaum an der Reihe. Er blieb dabei, dass er Ruth von seinem Fenster aus im Hof gesehen habe. Gewiss, nur kurz, aber er kennt sie ja. Sie schleppte einen Sack, einen schweren Sack.«

Plumps. Das Gewicht zog die Schale herunter.

»Und heute?«, fragte Karl. »Was gab es heute?«

»Zuerst sah es ganz gut aus«, berichtete Herr Ulpius. »Der Verteidiger ließ dem Gericht alle Messer vorlegen, die bei der Haussuchung beschlagnahmt worden waren. Drei Gutachter traten auf. Sie widerlegten die Ansicht des Staatsanwaltes, dass der Mord wahrscheinlich mit dem Messer Nummer dreizehn durchgeführt worden sei. Alle drei sagten übereinstimmend, dass jedes scharfe Messer auf der ganzen Welt ebenso gut geeignet gewesen wäre.«

Diesmal warf Herr Ulpius einen Stein in die noch leere Schale. Ein klein wenig richtete sich der Zeiger wieder auf.

»Als Sachverständige wurden zwei Schlachtermeister gerufen und ein Herr aus der Provinzialhauptstadt. Sie hatten den Sack unter die Lupe genommen. Sie bestätigten Waldhoffs Aussage, dass es sich um einen gewöhnlichen Räuchersack handelte. Hier hakte der Staatsanwalt ein. ›Konnten Sie einwandfrei nachweisen, meine Herren, dass es sich in dem Sack nicht um Blutflecke vom Blut eines Menschen handelt?‹ Die Gutachter mussten zugeben, dass das allerdings jetzt, ein Jahr nach der Tat, nicht mehr möglich sei.« Ein kleines Gewicht legte Herr Ulpius trotzdem in Waldhoffs Schale.

»Ein Professor war auch als Gutachter geladen. Er sollte etwas zu den Kindesmorden sagen, die die Juden angeblich des Blutes wegen begehen. Ihr hättet gestaunt, wie er dieses Gerede verurteilt hat. Er sagte, dass in den Glaubensbüchern der Israeliten nichts von solchen Vorschriften zu finden ist. Im Gegenteil. Die Juden sind sogar verpflichtet den Schein, sie dürften Blut genießen, zu meiden.«

»Das stimmt«, erinnerte sich Karl. »Ruth hat sich mal beim Kartoffelschälen geschnitten und im ersten Schreck den Finger in den Mund gesteckt. Schnell hat sie ihn aber wieder herausgezogen und ihren Mund mit Wasser ausgespült.«

»Warum das?«, fragte Frau Dreigens. Die Nachbarn waren herangetreten, um Herrn Ulpius' Bericht zu hören.

»Ruth hat gesagt«, antwortete Karl, » ›Wer Blut genießt, den will ich ausrotten in meinem Volke.‹ Das ist, glaube ich, ein Wort von Moses.«

Herr Ulpius lobte Karl und sagte: »Das ist ein gutes Beispiel. Für mich war es besonders interessant, dass der Professor ausführte, auch Christen hätten in früheren Zeiten unter dem gleichen Vorwurf oft zu leiden gehabt. Die Römer haben es ihnen vorgeworfen.«

»Und was sagen Sie zum Tod des heiligen Werner, Herr Ulpius?«

»Ach, Herr Dreigens, die Kirche hat sehr deutlich verurteilt, die Juden mit dem, was man einen Ritualmord nennt, zu belasten. Als im 12. und 13. Jahrhundert das Gerede aufkam, da hat Papst Innozenz IV. sich zweimal in päpstlichen Botschaften der Juden angenommen, und zwar genau 1247 und sechs Jahre später.«

Herr Ulpius fügte den Gewichten in Waldhoffs Schale ein schweres hinzu.

»Der Professor hat mit seiner Aussage Waldhoff wohl sehr genützt. Aber dann wurde der Zeuge Kräfting in die Schranken gerufen. Er beschwor seine Aussage. Er sei gegen elf am Tage der Tat durch die Straße gekommen und habe gesehen, wie man ein Kind ins Waldhoff'sche Haus gezogen habe. Das Kind sei Jean gewesen. So wahr ihm Gott helfe.«

Hart schlug der große Stein in die Schale. Der Zeiger ruckte tief nach links.

Sie schwiegen. Schließlich fragte Frau Dreigens: »Was meinen Sie denn, Herr Ulpius?«

»Ich meine, bevor das Urteil nicht gesprochen ist, ist Waldhoff ein unbescholtener Mann. Nicht wahr?«

»Ja, ja, natürlich, natürlich«, murmelte es rundum. Herr Ulpius wandte sich der Haustür zu, verharrte noch einen Augenblick und sagte: »Morgen können Sie übrigens alles miterleben.«

Die Köpfe hoben sich. Die Augen glitzerten vor Gier. Herr Ulpius zog die Mundwinkel herab.

»Morgen ist um zehn Uhr im Waldhoff'schen Hause Ortstermin. Guten Abend.«

Noch bevor Herr Ulpius seine grünen Bohnen mit Speck ganz aufgegessen hatte, gab es kein Haus in der Stadt, in dem die Neuigkeit nicht erregte Gespräche bewirkte. Von verschiedenen Seiten her sprang sie von Tür zu Tür, von Mund zu Mund. Alle, die dem Prozess als Zeugen oder Schaulustige beigewohnt hatten, verbreiteten die Nachricht:

Morgen ist Ortstermin.

Karl hatte die Waage wieder an ihren Platz gehängt. Die Gewichte aus Vaters Tasche lagen eingeordnet im Gewichtbrett. Die er aber in die Schalen gelegt hatte, die waren von Karl nicht herausgenommen worden.

»Noch ist nicht aller Tage Abend«, tröstete sich Karl.

»Eine Überraschung habe ich für dich, Junge«, rief Vater. »Dein Freund kommt morgen. Ich habe ihn für die nächste Nacht zu uns eingeladen. Er kann dann mit mir in die Kreisstadt fahren.«

»Ach du liebe Zeit«, wunderte sich Mutter. »Wo soll er denn schlafen?«

»Bei mir im Zimmer natürlich, Mutter«, antwortete Karl. »Ich rolle mich in eine Decke und schlafe auf dem Fußboden. Es ist noch Sommer. Dann ist mein Bett für Sigi frei.«

Frau Ulpius schüttelte den Kopf. »Ich habe ein paar Männer«, seufzte sie, »mit denen bekommt man vor der Zeit graue Haare.«

Sie wunderte sich, dass Karl an diesem Abend noch unbedingt zur

Großen Kirche wollte, und war ein wenig gerührt, dass er mit seiner Freude geradewegs dorthin ging. Doch sie behielt mit ihrer Vermutung nur zum Teil recht. Karl kniete lange im Dämmerlicht und betete. Er hatte sogar fünf Pfennig für eine Kerze in der Tasche gefunden und sie vor der Muttergottesstatue entzündet. Auf den Gedanken aber, dass er heimlich den Schlüssel, der stets von innen im Schloss der Turmtür steckte, abzog und in seiner Tasche verschwinden ließ, wäre Frau Ulpius wohl schwerlich gekommen.

Am nächsten Morgen ließ Frau Ulpius sich von Karls Erwartung anstecken.

»Möhren isst er gern, aber kein Schweinefleisch, Mutter, kein Schweinefleisch.«

Sie wehrte ihn lachend ab.

»Lass mich nur machen, Karl. Er wird schon zufrieden sein, dein Sigi.«

Lange vor der Zeit stand Karl vor Waldhoffs Haus. Doch er war nicht der Erste. Viele Menschen waren auf den Beinen. Niemand wollte das Schauspiel versäumen. Schließlich hörte man die Lokomotive pfeifen. Wenige Minuten später tauchte zwischen den Bäumen ein Schwarm von Leuten auf. Erst allmählich erkannte Karl die verschiedenen Gruppen. Vorweg marschierten Soldaten in blauen Uniformen und blanken Helmen. Sie hatten die Seitengewehre aufgepflanzt. Der Stahl blitzte in der Sonne. Richter, Geschworene, Anwälte, Gutachter, Zeugen. Erst als sie ganz nahe waren, entdeckte Karl die Waldhoffs. Die Frauen gingen vorn. Ruth hielt den Nacken steif und sah in die gaffende Menge. Ab und zu grüßte sie deutlich, wenn sie an Nachbarn oder Mädchen aus ihrer ehemaligen Schulklasse vorbeiging. Nur scheu wurde ihr Gruß erwidert. Er schien Verlegenheit auszulösen. Frau Waldhoffs Rücken war gebeugt. Klein und schwer hing sie in Ruths Arm. Waldhoff selbst war gealtert. Aus seinem mageren Gesicht stach die Nase groß hervor. Die Augen wanderten unstet umher. Die lange Haft hatte seine Haut blass werden lassen. Er sah fremd aus. Die Leute hatten ihn anders in Erinnerung.

Sigi, aufgeschossen und ein wenig schlaksig, spähte umher. Doch Karl, der nur durch eine schmale Spalte zwischen Herrn Huymann und Herrn Dreigens die Straße übersehen konnte, musste erst rufen:

»Sigi, Sigi, hier stehe ich!«, bis Sigi ihn erblickte. Schnell drängte sich der Junge durch die Soldatenreihe und rannte zu Karl hinüber. Die Soldaten ließen ihn gewähren. Karl drängte sich nach vorn und ging Sigi entgegen. Er streckte ihm die Hand entgegen, doch Sigi lief stürmisch auf ihn zu und umarmte ihn.

Ohne jede Feindseligkeit und nur der Neugier nachgehend, verfolgten die Zuschauer das emsige Treiben, das nun einsetzte. Ein makabres Spiel rollte ab. Ein Kind lief bei Waldhoffs vorbei, der Arm eines Soldaten fuhr durch den Türspalt und zog es ins Haus. Kräfting bezeichnete die Stelle, von der aus er es so gesehen haben wollte. Die Geschworenen baten darum, die Szene zu wiederholen. Sie wiegten die Köpfe. War es möglich, auf solch eine Entfernung sicher zu sein, welches Kind gegriffen worden war? Konnte der Zeuge sich nicht irren? War überhaupt ein Kind in das Haus gezerrt worden oder vielmehr in den angrenzenden Pfortenweg? So weitläufig jedenfalls hatten sich die meisten Geschworenen den Ort nicht vorgestellt. Sie machten sich Notizen.

Dann wurde Mehlbaums Stube besichtigt. Vom Fenster aus sahen die Männer die wenigen Meter Hof, die Mehlbaum überblicken konnte. Ruth wurde gebeten, den Hof zu überqueren. Sie tat es. Auch andere Mädchen huschten über den schmalen Streifen. Doch Mehlbaum spähte scharf durch seine Brille und kannte Ruth heraus.

Aber war das nicht etwas ganz anderes heute als damals? Vor einem Jahr hatte doch diese kurze Begebenheit, falls sie wirklich geschehen war, für Mehlbaum keinerlei Bedeutung. Ein Mädchen geht über den Hof. Gut. Aber was soll's! Erst Tage später fällt Mehlbaum ein, was das heißen konnte. Jetzt erst fragt er sich: War es Ruth? War es wirklich um die Zeit? Trug sie irgendetwas? Die Geschworenen nehmen Mehlbaums Aussage zur Kenntnis. Sie hören auch den Bürgermeister. Er nennt Mehlbaum einen Schwätzer. Aber ob seine Aussage stimme, dazu könne er nichts sagen. Als Lügner sei Mehlbaum ihm nicht bekannt. Die Fruchtscheune wird besichtigt. Nora weist auf den Fleck auf dem festgestampften Lehmboden, ein dunkler Schatten des Blutes. Der Arzt erläutert noch einmal seinen Bericht. Dann gibt er eine Erklärung ab. Es ist eine eigenartige Atmosphäre in dem dämmrigen Schober. Licht fällt nur durch die halb geöffnete Tür. Die Herren in ihrer feierlichen schwarzen Kleidung passen nicht in diese Umgebung. Der Arzt setzt zweimal an. »Ich muss mich damals geirrt haben, meine Herren. Ich habe die Gutachten der Sachverständigen und Professoren studiert. Damals war ich der Meinung, dass auffallend wenig Blutspuren zu sehen gewesen seien. Das stimmte auch. Leider, das sehe ich heute ein, war mein Schluss daraus voreilig. Ich habe nicht bedacht, dass das Blut in die Kleidung des Kindes rinnen konnte. Ich bin in diesem Ort länger als fünfundzwanzig Jahre Arzt, meine Herren. Aber ich bin kein Gerichtsmediziner. So etwas, wie ich es hier sah, habe ich nie zuvor erlebt. Bedenken Sie das bitte. Die Gutachter haben mich jedoch überzeugt. Ich rücke von meiner früheren Meinung, es sei kein Blut an diesem Ort geflossen, ab.«

Schließlich ging es ins Waldhoff'sche Haus. Die Tür wurde weit aufgestoßen. Keine Klingel ertönte mehr. Frau Waldhoff schlug die Hände gegen die Augen, als sie in den Laden trat. Weinen schüttelte ihre Schultern. Unbemerkt schlüpften einige Männer und Frauen aus der Menge.

Sie wussten nur zu gut, wie das Haus aussah. Die Fensterscheiben waren zerborsten, das Holzwerk angesengt, die Türen übermütig herausgerissen, die Möbel zerschlagen, die Töpfe zerbeult, vieles gestohlen.

Das Haus glich von innen mehr einer Ruine als der Wohnstatt, die die Waldhoffs vor noch nicht einem halben Jahr so sorgsam hinter sich verschlossen hatten.

Endlich, gegen drei Uhr am Nachmittag, löste sich die Menschenansammlung auf. Einer blieb noch eine Weile zurück. Er starrte das Waldhoff'sche Haus an. Seit Stunden stand er hier, ein Fremder. Seine Kleidung war ein wenig abgerissen. Aus dem Hosenumschlag schaute ein Strohhalm hervor. Einen von Regen und Jahren grünlich schimmernden Hut trug er eigenartig nach vorn gezogen. Das schützte die Augen vor der Sonne. Düstere, schwermütige Augen. Schließlich schob er sich den Hut in den Nacken, wischte sich den Schweiß aus der Stirn und schlenderte davon.

Die Herren aus der Kreisstadt nahmen die Gelegenheit wahr und wollten die Große Kirche besichtigen. Waldhoff wurde unter Bewachung zum Bahnhof zurückgeführt. Ruth und Frau Waldhoff suchten im Haus nach Dingen, die vielleicht noch zu gebrauchen waren, und gingen dann schließlich auch zum Bahnhof.

Als sie an Märzenichs Schmiede vorbeikamen, die Straße lag verlassen wie an irgendeinem anderen Spätsommertag, da sah Ruth Gerd am Eingangstor stehen. Eine lange Sekunde kreuzten sich ihre Blicke.

»Komm, Ruth«, drängte Frau Waldhoff und zog ihre Tochter mit sich fort.

Sigi aber tollte mit Karl durch das Haus, sie streichelten Lena, das Schaf, ließen sich Kaffee und Kuchen gut schmecken und waren ausgelassen und fröhlich. Sigi empfand wohl, dass die Fröhlichkeit nicht zu diesem Tag passte. Außer der Erklärung des Arztes war der Ortstermin schlecht für seinen Vater verlaufen. Aber er konnte sich nicht gegen das Gefühl wehren, das diese Stadt, dieses Haus in ihm wachriefen.

Karl zog ihn in sein Zimmer, drehte hinter sich den Schlüssel im Schloss und flüsterte: »Du wirst staunen über das, was ich vorbereitet habe.«

Er hob den Strohsack seines Bettes ein wenig an, griff mit der Hand darunter und zog einen langen Schlüssel mit großem Bart hervor.

»Ein Schlüssel«, stellte Sigi fest und sah Karl erwartungsvoll an.

»Ein ganz besonderer Schlüssel.«

»Hast du eine Schatztruhe gefunden?«

»Viel besser.«

»Ist dies der Schlüssel eines Spukhauses?«

»Viel besser.«

»Du spannst mich auf die Folter, Karl.«

»Ich werde heute mein Versprechen einlösen.«

»Versprechen? Du meinst doch nicht etwa, ich kann mit dir . . .«

»Doch, das meine ich. Du kannst mit mir auf den Turm steigen.«

»Wer hat es erlaubt?«

»Ich erlaube es mir.«

»Also heimlich?«

»Ja. Heimlich.«

»Aber jeder kann uns sehen, wenn wir uns auf dem Umgang am Turmhelm blicken lassen.«

»Nein, Sigi. Kein Mensch wird uns sehen. Wir werden in der Nacht auf den Turm steigen.«

»In dieser Nacht?«

»Ja. Oder hast du Angst? Dann bleiben wir lieber im Bett.«

»Vor dem Turm habe ich keine Angst.«

»Na also. Wir schleichen uns hier weg, sobald alle im Hause in den Betten liegen.«

»Wenn dein Vater oder deine Mutter aber etwas bemerken?«

»Wie sollten sie? Vater ist müde. Er schnarcht und schläft. Mutter traut sich nicht aus dem Bett, wenn es dunkel ist. Was soll also geschehen?«

»Wenn du meinst. Aber ganz wohl ist mir nicht dabei. Ich meine, dein Vater . . .«

»Eltern sind Eltern«, unterbrach Karl ihn. »Sie sind viel zu ängstlich. Wir sind doch schließlich keine Säuglinge mehr, oder?«

»Das ja gerade nicht.«

»Na also. Wir verlassen durch den Stall das Haus. Der Schlüssel passt in die Turmtür. Er steckte innen in der Großen Kirche. Niemand wird es auffallen, dass er fehlt. Nur bei ganz großen Hochzeiten schließt der Küster die Turmtür auf. Wer sollte etwas bemerken? Morgen werde ich den Schlüssel wieder ins Schloss schieben und niemand wird je erfahren, dass wir die Glocken besucht haben.«

»Du hast dir das schlau ausgedacht, Karl. Ich freue mich auf den Turm.«

Mutter rief zum Abendbrot. Karl legte den Finger auf den Mund und ließ den Türschlüssel wieder im Bett verschwinden.

»Ob schon morgen das Urteil gefällt wird, Herr Ulpius?«, fragte Sigi.

»Wahrscheinlich, Sigi. Es fehlt nur noch ein einziger Zeuge von Gewicht. Das ist Gerd Märzenich.«

»Ja, was wird Gerd wohl aussagen?«

»Das Alibi deines Vaters ist gut, Sigi. Alle Zeiten, die er angegeben hat, wurden bestätigt. Manchmal widerwillig, manchmal auch so, dass jeder spürte: Der will dem Waldhoff helfen. Die einzige große Lücke am Mittag und am frühen Nachmittag könnte Gerd füllen.«

»Er war ja bei uns. Er kann sagen, dass Ruth nicht ein einziges Mal um die Zeit draußen gewesen ist, zu der Mehlbaum sie gesehen haben will. Er saß mit uns in der Stube.«

»Aber er hat zuletzt ausgesagt, dass er sich nicht genau erinnern kann, Junge.«

»Er hat gelogen.«

»Gut. Nehmen wir das an. Du weißt ja, in welcher Lage er steckte. Die Kosten der Beerdigung für seinen Vater, die lange Krankheit, der Arzt, die Medikamente, das alles hat die Schmiede an den Rand des Ruins gebracht. Niemand ließ mehr bei Gerd arbeiten.«

»Ja, das stimmt. Seit er anders ausgesagt hat, qualmt sein Schornstein wieder«, bestätigte Karl.

»Er hat gelogen.« Sigi blickte starr auf die Tischplatte.

»Vielleicht hat er in seiner Not am Ende wirklich nicht mehr gewusst, wie es war.«

»Er weiß, dass er gelogen hat, Herr Ulpius. Er geht uns aus dem Wege, seitdem er falsch ausgesagt hat.«

»Sigi, er wird vor Gericht schwören müssen.«

»Ja. Er wird schwören müssen.«

»Hoffen wir«, schaltete sich Mutter ein, »hoffen wir, dass alles wieder gut wird.«

»Alles?« Sigis Fröhlichkeit war fortgeflogen. Er dachte an das ausgeraubte Haus, er dachte an die Nachbarn, an das Spießrutenlaufen am Morgen.

Karl druckste herum und sagte schließlich: »Vater, kann ich morgen mit zur Kreisstadt fahren?«

»Du bekommst keinen Stuhl mehr unter den Zuschauern, Junge. Seit Tagen ist jeder Platz vergeben.«

»Es sitzen doch viele auf der Bank im Flur, Herr Ulpius. Mir wäre es schon lieb, wenn Karl dabei sein könnte.«

»Du könntest ihn mitnehmen, Vater«, Mutter blickte von ihrem Strickzeug auf. »Du siehst ja, die beiden hängen zusammen wie die Kletten.«

»Na ja, wenn du meinst, Mutter«, schmunzelte Herr Ulpius.

»Aber dann schnell ins Bett, ihr Burschen«, befahl Frau Ulpius. »Und erzählt nicht mehr so lange. Morgen um fünf fängt für euch der Tag an.« Ohne Widerrede verschwanden die Jungen. Bald blies Karl die Kerze aus. Aber an Schlafen wollten sie nicht denken. Wer weiß, ob einer von ihnen vor dem Morgengrauen wach geworden wäre.

»Erzähl etwas, Sigi.«

»Du kannst es auch, Karl.«

»Gut, abwechselnd. Fang du an. Wie ist es euch in der fremden Stadt ergangen?«

»Nicht sehr gut, Karl. Wir bewohnen bei Verwandten ein paar kleine Zimmer. Aber das Gerücht hat uns eingeholt. Es ist schneller als jede Flucht. Bereits ein paar Tage nachdem wir dort angekommen waren, haben wir es erfahren müssen. Ich ging mit Mutter zu einem Steinmetzmeister. Er war ein freundlicher, starker Mann.

Ohne viel Worte gab er mir einen Meißel und einen Holzschlegel in die Hand, führte mich an den Block und sagte: ›Da liegt ein Stein, Junge, schlag zu.‹

Ich sah mir den Stein genau an und entdeckte einen Haarriss. Dort setzte ich an und schlug zu. Kräftig genug jedenfalls, dass der Stein in zwei Stücke fiel.

Da setzte der Meister seine Brille ab, nahm mich bei den Schultern und sagte: ›Da staunt der Fachmann. Der Bursche hält nicht zum ersten Male das Eisen in der Hand. Ich werde dich probehalber einstellen.‹

›Wir können aber im Augenblick kein Lehrgeld zahlen‹, sagte Mutter zaghaft.

›Das wird sich finden. Ist Ihr Mann krank?‹

Mutter wurde rot. Schließlich stieß sie hervor: ›Wissen Sie, ich bin Frau Waldhoff.‹

›Waldhoff?‹ Der Meister kniff die Augen zusammen und pfiff mit spitzen Lippen. ›Hm. Was machen wir denn da? Moment mal.‹

Er schien zu überlegen, sah sich noch einmal die Steinstücke an, die unter meinem Schlag auseinandergesprungen waren, als ob er darin eine Antwort lesen könnte, und sagte schließlich: ›Es ist ganz einfach, Frau Waldhoff. Wir schieben die Entscheidung auf, bis Ihre Angelegenheit sich erledigt hat. Der Junge gefällt mir. Ich hoffe, dass wir ihn später einstellen können.‹

Wir haben nichts mehr sagen können. So ähnlich geht es uns oft.

Die Leute sind zwar ganz nett, aber sie wollen nichts mit uns zu tun haben.«

»Und eure Verwandten?«

»Nun, sie ertragen uns eben.«

»Gehst du wieder zur Schule?«

»Ja. Denk dir, ich bin in der achten Klasse. Dein Unterricht war gut.«

Sie schwiegen eine Weile. Dann forderte Sigi: »Jetzt bist du an der Reihe.«

»Bei mir gibt es nur eine wichtige Neuigkeit: Ich gehe nächstes Jahr Ostern auf die Präparandie. Wir haben eine Zusage bekommen. Mein Zeugnis war endlich einmal so, dass sogar Vater zufrieden war. Ich musste mich vorstellen. Mutter ist mit mir hingefahren. Erst habe ich ein wenig Angst in der Kehle gespürt, als wir in den großen Backsteinbau eintraten. Er sieht so aus wie unsere Schule in groß. Nur der Geruch, der ist noch aufdringlicher. So ähnlich wie im Siechenheim riecht es da. Der Direktor trug einen riesigen Schnurrbart. Tausend Dinge wollte er von mir wissen. Ich glaube, er war mit dem Ergebnis der Prüfung nicht zufrieden. Jedenfalls schaute er mich ziemlich traurig an. Wie ein Seelöwe sah er aus. Dann fragte er mich: ›Warum willst denn ausgerechnet du Lehrer werden?‹

Was soll man auf solche Frage antworten? Ich weiß heute selber nicht mehr, was plötzlich in mich gefahren ist. Ich habe ihm eure ganze Geschichte erzählt. Auch, dass ich dir alles beigebracht habe, was wir in der Schule Tag für Tag lernten. Dass ich von da ab notgedrungen aufpassen musste und natürlich alles konnte, weil ich es zweimal am Tag gekaut habe. Zum Schluss habe ich ihm gesagt, ich wollte Lehrer werden, weil ich, nun, weil ich eben nicht will, dass eure Geschichte noch einmal hier in dieser Stadt geschehen soll.

›Hat dir das dein Vater erzählt?‹, fragte er mich da und stand hinter seinem Schreibtisch auf. Er sah richtig böse aus. Mutter sprang auf und redete aufgeregt auf ihn ein, er solle doch mein dummes Geschwätz nicht ernst nehmen, nein, ihr Mann werde doch dem Jungen nicht solche Flöhe ins Ohr setzen. Da brachte er sie mit einer Handbewegung zum Schweigen, stapfte hinter seinem Schreibtisch hervor, fasste mich vorn an meinem Kragen und sagte: ›Und wenn du im Rechnen mangelhaft hast, Bursche, dich nehme ich.‹ Doch schnell verbesserte er sich: ›Aber den Hosenboden ziehe ich dir stramm, wenn du dich mit einer solch schlechten Zensur hierher wagst.‹«

»Meinst du das denn wirklich im Ernst, Karl, das mit unserer Geschichte?«

»Niemand kann so etwas im Spaß sagen, Sigi. Das jedenfalls habe ich von Vater gehört und auch begriffen: Was heute euch geschehen ist, das kann sich morgen bei einem anderen wiederholen. Man muss das alles von einer höheren Warte aus sehen.«

Sigi lachte in sein Kissen hinein.

»Lachst du mich aus?«

»Du redest wie Coudi.«

»Was meinst du?«

»Na, das mit der höheren Warte und so.«

»Ich erzähle dir überhaupt nichts mehr.«

»Aber auf die ›höhere Warte‹ gehst du doch hoffentlich bald mit mir. Ich möchte wirklich von da aus einmal alles sehen.«

Da lachte Karl auch.

»Wie spät mag es sein? Es ist bestimmt bald zehn.«

»Wir hören die Uhr vom Turm her ja schlagen.« Sie redeten noch dies und das, lauschten auf den Glockenschlag, und endlich, gerade als sie überlegten, ob die Uhr vielleicht doch stehen geblieben sei, da schlugen die Klöppel an, vier scheppernde Töne, dann zehn volle, tiefe Schläge.

»Ob alles schläft?«, fragte Sigi.

»Ganz bestimmt. Komm, wir ziehen uns an.«

Leise, ganz leise stiegen sie in ihre Kleider, vergaßen auch nicht, die Jacken überzuhängen, schlichen durch das nachtdunkle Haus, durch den Stall und hielten sich auf der Straße in den tiefen Schatten der Mauern und Häuser. Erst als sie zum Kirchplatz hin einbogen, atmeten sie auf. Hier, unter den alten Linden, herrschte schwarze Stille. Niemand spazierte nachts über den Kirchplatz, wenn man den Pfarrer nicht rechnete, der auch zu dieser Stunde gelegentlich zu einem Sterbenden gerufen wird.

»Hier sind wir sicher.« Karl atmete auf.

»Sicher schon«, stimmte Sigi zu. »Aber mir ist doch anders zumute. Wenn man die Nacht durch die Fensterscheibe sieht, dann ist das doch etwas anderes, als hier im Dunkeln herumzulaufen.«

Sie waren jetzt nahe an die Große Kirche herangekommen. Sigi legte den Kopf in den Nacken und schaute zur Turmspitze hinauf. Hier am Fuß des Turmes zeigte sich die gewaltige Höhe erst richtig. Hastig stieß Karl den schweren Schlüssel ins Schloss. Er ließ sich überraschend leicht drehen. Sigi drückte den Türflügel nach innen. Ein hohes Quietschen verriet, wie selten die Turmtür geöffnet wurde. Sie schlüpften durch den Spalt und schoben die Tür wieder zu. Mit dem Rücken lehnte sich Sigi gegen das Holz. »Hier kann man ja nicht die Hand vor den Augen sehen«, flüsterte er.

»Warte ein paar Sekunden. Gleich haben sich deine Augen an das schwache Licht gewöhnt.«

Wirklich schimmerten bald die hohen Spitzfenster wie matte Eisspiegel. Die Rippen und Gewölbe, die Pfeiler mit ihren Kapitellen, der große Leuchter inmitten des Hauptschiffes, eins nach dem anderen trat aus der Dunkelheit hervor. Nur dort, wo der vergoldete Altar seinen Platz hatte, lastete tiefe Schwärze. Wie ein roter Stern funkelte das ewige Licht. Karl nahm Sigi fest bei der Hand.

»Ich kenne mich hier aus. Halt dich an mich.«

Er tappte vorwärts in das Turmgewölbe hinein. Die eine Hand hielt er vorgestreckt. Er fand die schmale Tür, die zur Galerie und weiter in den Turm hineinführte. Mit der Fußspitze tastete er nach dem ersten Tritt. In enger Windung ging es Stufe um Stufe hinauf. Kein Geländer führte die Hand. Die Finger berührten nur glatte, kalte Steine.

»Manche Stufen sind tief ausgetreten, Sigi. Geh vorsichtig!« Sie stiegen und stiegen.

»Sind wir bald oben?«, fragte Sigi. Sein Atem ging schnell.

»Die Galerie ist noch nicht einmal erreicht. Es dauert schon seine Zeit.«

Nach jeder dritten vollen Drehung kamen sie an einem schmalen Fensterschlitz vorbei. Immer häufiger rasteten sie dort. Die Dächer lagen schon längst tief unter ihnen, als Karl Sigi von der Treppe weg auf die Galerie führte. Schweigend schauten sie in das Mittelschiff. »Es ist ein wundervolles Bauwerk.«

»Ja, Sigi, es ist die größte und älteste Kirche im Land ringsum.«

»Unser Tempel war größer.«

»Der Tempel in Jerusalem?«

»Ja. Er war viel, viel größer.«

Karl antwortete nicht. Schließlich sagte er: »Wir müssen weiter, wenn wir es schaffen wollen.«

Sie erreichten die Glockenstube gerade in dem Augenblick, als es halb elf schlug. Ihre Hände fassten sich fester. Was in der Stadt als Glockenschlag zu hören war, das war hier oben ein Glockengedonner. Die Steinwände bebten, das Gebälk zitterte. Der Ton schien die Mauern sprengen zu wollen. Karl schrie Sigi etwas ins Ohr, aber es war nicht zu verstehen.

Der letzte Schlag verhallte. »Was hast du gesagt, Karl?«

»Du musst den Mund öffnen, wenn die Glocken läuten. Der Küster hat mir erzählt, dass früher hier in der Glockenstube ein Glöckner mit dem Hammer die Glocken anschlug. Er ist mit der Zeit taub geworden. Die Trommelfelle sind gesprungen. Wenn man den Mund aber weit aufmacht, dann können sie nicht platzen.«

»Das hat mein Vater auch erzählt«, fiel Sigi ein. »Im Krieg, wenn die Geschütze abgefeuert wurden, dann haben die Soldaten auch den Mund geöffnet.«

Wieder stiegen sie in dem engen Gang empor. Das Hemd klebte Sigi auf der Haut.

Vor sich hörte er Karl keuchen.

»Jetzt haben wir es gleich geschafft.«

Karl rastete an einem Fensterschlitz. Mit einem Male raschelte es dicht vor ihnen. Sigi überlief es kalt. Wer hatte mitten in der Nacht etwas auf dem Turm zu suchen? Sigi presste sich gegen die Mauer.

»Wären wir doch in den Betten geblieben«, wünschte er sich. An seinen Beinen strich es vorbei. Er wagte kaum zu atmen. Ein Piepen ertönte, weinerlich, ängstlich. Da lachte Karl befreit auf.

»Eine junge Taube, Sigi, eine Taube ist aus dem Nest gefallen.« Er bückte sich und griff zu.

»Au! Wirst du wohl Frieden geben?«, hörte Sigi ihn schimpfen. Karl hielt den Vogel in das Licht des Fensterspalts. »Es ist gar keine Taube. Eine junge Dohle haben wir da erwischt.«

»Was fangen wir mit einer Dohle an?«

»Wenn ich ihr Nest fände, dann könnten wir sie hineinsetzen. Aber die Dohlen haben ihre Nester irgendwo im Gestein gut versteckt.«

»Kann man einer Dohle nicht das Sprechen beibringen?«

»Ja, das geht. Aber vorher hat sie dich wahrscheinlich halb totgeärgert.«

»Wie meinst du das?«

»Der dicke Wim hat eine gehabt. Das Sprechen hat sie zwar nicht gelernt, aber sie ist ganz zutraulich geworden.«

»Das ist doch schön.«

»Weniger schön war es, dass sie der Nachbarin über fünfzig junge Pflanzen aus dem Beet zupfte und sie fein säuberlich in Reih und Glied neben die Pflanzlöcher legte. Die Nachbarin hat den Wim selber in Verdacht gehabt. Erst als die Dohle auf der Bleichwiese über Frau Sichelmanns weiße Laken schön gleichmäßig schwarze Kirschen verteilt hat, da hat sie dem Wim geglaubt, dass der Vogel Sinn für geometrische Figuren entwickelt hat. Später war die Dohle dann mehr gefürchtet als jeder Wachhund in der Straße. Den Kindern tanzte sie auf dem Kopf herum und hackte auch wohl zu. Einmal hat Wim sie mit zur Schule gebracht. Erst war Herr Coudenhoven ganz begeistert. Er hat von Kopf bis Schwanz alles gezeigt, was an einer Dohle zu zeigen ist. Doch dann wurde ihm das Tier lästig, das mal auf dieser Bank, mal auf jenem Jungenkopf landete und fortgesetzt Unruhe stiftete.

›Schaff das Tier fort!‹, herrschte er Wim an. Der warf sie kurzerhand auf den Schulhof. Doch die Dohle war nicht damit einverstanden, flatterte auf die Fensterbank und hämmerte gegen die Scheiben. Schließlich hat Wim sie verkaufen müssen. Von einem Zigeuner hat er eine halbe Silbermark dafür bekommen.«

»Ich möchte die Dohle wohl haben«, sagte Sigi.

»Wenn du meinst. Aber wird sie dir nicht viel Ärger bringen?«

»Vielleicht auch viel Freude. Ich werde ihr das Sprechen bestimmt beibringen.«

»Also gut. Hier, nimm sie bei den Flügeln.«

Das Tier zitterte. Sigi drückte es leicht gegen seine Brust und wärmte es.

»Wie wirst du die Dohle rufen, Sigi?«

»Dohlen heißen Jakob.«

»Warum eigentlich?«

»Weil unser Stammvater Jakob von ihnen gespeist worden ist.«

»Ach ja. Jakob ist ja auch unser Stammvater. So steht es im Alten Testament.«

»Das ist gut, nicht?«

»Was?«

»Na, dass wir einen Stammvater gemeinsam haben, oder?«

»Ja. Das ist gut.«

Karl stapfte weiter. Bald hatte er einen schmalen Brettersteg erreicht. Ein Lattengeländer gab ein wenig Halt. Das Brett bog sich und wippte unter ihren Schritten. Sie kletterten durch eine Luke und standen auf der Turmgalerie. Es fuhr Sigi in die Knie, als er hinunterschaute.

Er lehnte sich mit dem Rücken gegen den schieferbeschlagenen Helm des Turms. Das Steingeländer ringsum war mannshoch. Zwischen den einzelnen Rippen hätte man bequem hindurchspringen können.

»Von unten sah das gar nicht so gefährlich aus, Karl.«

»Es ist auch nicht gefährlich. Bis zum Geländer ist es ja ein ganzer Schritt. Gewöhne dich erst ein wenig an die Höhe.«

Sigi blickte über die Stadt hinweg. Hier und dort leuchtete ein Licht. Der Strom glitzerte im Mondlicht. Die Schiffe, für die Nacht unter dem Ufer festgemacht, hatten ihre Positionslaternen angezündet.

»Merkst du, wie der Turm schwankt?«

Sigi war das noch nicht aufgefallen. Jetzt aber spürte er es deutlich.

»Wie im Mastkorb eines Segelschiffes komme ich mir vor.«

Allmählich wich das schlappe Gefühl aus den Beinen. Mit einer Hand auf dem Schiefer, mit der anderen am Steingeländer ging Karl rund um den Helm. Sigi folgte ihm vorsichtig. Behutsam hielt er seinen Jakob fest.

»Die Stadt ist doch klein.« Karl fand das auch. Die Straßenzüge, die Plätze, die Häuser, alles war überschaubar, geordnet, einsichtig.

»Hat doch etwas für sich, die höhere Warte«, spöttelte Sigi.

»Da, sieh mal, da kommt der Nachtzug.«

Eine Lichterraupe bewegte sich auf die Stadt zu und blieb am hell erleuchteten Bahnhof stehen.

»Auch der Zug fährt langsamer, so sieht es jedenfalls aus.«

»Ja, Sigi, hier oben sieht man Stadt und Menschen ganz anders. Der Küster sagt, die Leute hätten früher oft bei dem Glöckner Rat gesucht. Selten wäre einer ohne Trost wieder hinuntergestiegen. Er hat sie hier auf die Galerie geführt und hinabsehen lassen. Sie haben gespürt, dass vieles, von oben her gesehen, einen Sinn, einen Plan hat, wo man unten nur Sinnlosigkeit und Durcheinander feststellen kann.«

Immer mehr Lichter erloschen in der Stadt. Schließlich blieben nur noch die Fenster der Polizeistation erleuchtet. Erst als die Glocken zwölf schlugen, machten sie sich an den Abstieg. Sie wurden still. Es mochte sein, dass der Schlaf ihnen in die Glieder kroch. Aber durch die Müdigkeit hindurch empfanden sie das Besondere dieser Nacht. Sorgfältig schlossen sie die Kirchentür hinter sich und machten sich eilig auf den Heimweg. Schon von Weitem bemerkte Karl den Lichterschein, der aus den Fenstern des Hauses bis auf die Straße fiel.

»Bei uns haben sie etwas gemerkt«, sagte er erschrocken und lief los.

Sigi folgte ihm, so schnell er es mit der Dohle eben konnte. Herr Ulpius wartete in der Küche. Neben ihm stand der Aschenbecher. Zwei halb aufgerauchte Zigarren lagen darin.

»Wo wart ihr?«

Er sprang auf. Seine Stimme klang aufgeregt. Ohne eine Antwort abzuwarten, gab er Karl eins hinter die Löffel, dass es schallte.

»Wo ihr wart, will ich wissen.«

»Karl hat mir schon lange versprochen, mich mit auf den Turm der Großen Kirche zu nehmen.«

»In der Nacht wart ihr auf dem Turm?«

Herr Ulpius schien ein wenig erleichtert.

»Ich dachte schon, ihr wolltet selber Kriminalkommissar spielen. Es heißt nämlich, Jan Maaris, der Landstreicher, habe sich in der Stadt sehen lassen. Kommissar Hundt hat am Abend den ganzen Grafenberg von Soldaten absuchen lassen. Gefunden haben sie ihn jedoch nicht.«

»Verfolgt er denn immer noch die Spur?«

»Ja, im Gerichtsgebäude flüsterte man, dass der Kommissar gesagt habe: ›Wenn ich nur den Maaris aufspüren könnte, dann ginge es mir und dem Waldhoff besser.‹«

Er fuhr sich mit der Hand durch den Haarschopf.

»Junge, Junge. Ich habe mir vielleicht Sorgen gemacht. Ich war drauf und dran, den Polizisten zu rufen.«

Dann zog er Karl zu sich heran: »Warum hast du mir vorher nichts gesagt, Junge?«

Karl rieb sich das rote Ohr und stotterte: »Ich dachte, du würdest es verbieten.«

»Nicht schlecht gedacht, Junge. Doch darüber wolltest du dich hinwegsetzen, wie?«

Sigi versuchte, Karl zu helfen: »Ich bin daran schuld, Herr Ulpius.« Er wurde verlegen. »Wir wollten die Stadt von oben, von einer höheren Warte sehen, wissen Sie.«

Trotz des brennenden Ohres musste Karl lachen. Befremdet sah sein Vater ihn an.

Karl sagte: »Aber der Schreck, den die erleuchteten Fenster uns eingejagt haben, der hat uns schnell wieder aus den Wolken zurückgeholt, Vater.«

Herr Ulpius stimmte in das Lachen mit ein. »Du kannst dich freuen, mein Sohn, dass Mutter die ganze Angelegenheit verschlafen hat. Ihr wäre die Aufregung vermutlich schlecht bekommen.«

»Sehen Sie sich an, Herr Ulpius, was ich mir vom Turm mitgebracht habe.« Sigi trat ins Licht und zeigte seine Dohle vor. Herr Ulpius schaute auf den jungen Vogel, dessen schwarzes Gefieder im Lampenlicht grünlich schillerte. Neugierig stocherte Jakob mit dem maisgelben Schnabel in der Luft herum.

»Er wird schon heimisch«, sagte Karl.

»Ja. Aber bevor wir das Thema gänzlich wechseln, mein Junge, will ich dir noch mitteilen, dass ich übers Wochenende zum Altwasser hinausgehe. Einmal muss der Hecht doch beißen.«

»Wunderbar«, wollte Karl rufen. Doch er kam nicht dazu, sich zu freuen, denn Herr Ulpius fuhr fort: »Aber ohne dich. Ohne den jungen Herrn, der mit seiner hoffentlich letzten väterlichen Ohrfeige sonst wohl zu billig davongekommen wäre.«

Diesmal wurde nicht nur Karls Ohr feuerrot. Aber er senkte den Kopf. Sein Vater nahm es als Einverständnis.

»Aber morgen, morgen darf ich doch mit, Vater?«

»Ich pflege meine Zusagen zu halten, Karl.«

# 26

Die Spannung im großen Saal des Landgerichtes war auch in den weitläufigen Gängen des Gerichtsgebäudes zu spüren. Karl saß nicht allein auf der langen Bank vor der Tür. Die Zuschauerplätze hatten die Menschenmenge nicht fassen können. Viele hatten sich geweigert, nach Hause zu gehen, und hielten sich in den Fluren auf. Allgemein erwartete man für den Nachmittag das Urteil. An diesem Vormittag sollte vor den Reden des Staatsanwaltes und der Verteidiger lediglich der letzte Zeuge aussagen.

Karl hatte Gerd Märzenich bereits am Bahnhof gesehen. Gerd hatte sich abseits gehalten und war in das allerletzte Abteil des Frühzuges gestiegen. Manches bekannte Gesicht konnte Karl im Landgericht entdecken. Kakadü hatte er wieder erkannt. Von Kakabe hieß es, er jage immer noch dem Landstreicher nach. Im Übrigen schien sich die Stadt ein Stelldichein zu geben: Der Bürgermeister, der Arzt, der Polizist, Mehlbaum, Kräfting, Schyffers, alle wollten sie dabei sein, wenn das Urteil gefällt wurde.

Vor mehr als einer halben Stunde hatte sich die Flügeltür endgültig geschlossen. Der Beamte in der dunkelgrünen Uniform hatte ein Schild über die Klinke gehängt: »Verhandlung. Bitte nicht stören.« Schon breiteten sich die ersten Nachrichten im Gebäude aus. Ein dicklicher Mann mit weißem, aufgedunsenem Gesicht und traurigen Dackelaugen sprach Karl an: »Ich habe dich eben mit dem kleinen Waldhoff reden sehen. Armer Kerl. Wird wohl seinen Vater verlieren.« Karl schwieg.

Der Mann machte schließlich eine erklärende Bewegung. »Mord ist Mord«, murmelte er. »Ekelhafte Sache das. Die Familie kann einem ja leidtun. Kennst du den Jungen?«

Karl nickte. »Wenn dieser Märzenich sich besinnen könnte, ja, dann sähe alles anders aus. Komische Sache das. Alle erinnern sich haargenau. Der eine sieht ein Kind, das ins Haus gezogen wird. Er kennt den Tag, die Uhrzeit, weiß genau, welches Kind es ist, obwohl er das Kind vorher nicht gekannt hat. Der andere sieht die Tochter – schönes Weib übrigens«, er rieb sich mit seinen kurzen, wurstigen Fingern über die Nase, »sehr schönes Weib das – husch, sie rennt über den Hof. Knapp zwei Meter kann der Zeuge einsehen. Er erinnert sich. Wie gehabt. Tag, Uhrzeit, Sack. Richtig! Sack. Nur Märzenich, der weiß es nicht genau. War es Peter und Paul? War es der Sonntag? Hat er die ganze Zeit über in der Stube gesessen? War er kurz raus? Er kann sich nicht mehr genau erinnern. Dumm für deinen Freund, was?«

Karl schluckte an einem Kloß in der Kehle.

Der Mann beugte sich nach links und tuschelte mit seiner Nachbarin. Schon streifte sein Atem den Jungen wieder. »Er sagt aus. Er ist schon zwanzig Minuten unter Eid. Genau, wie ich es sagte. Er heißt Hase, weiß von nichts.« Karl hielt in seiner Hosentasche das Messer fest umklammert. Kam denn niemand aus dem Saal heraus?

Er stand auf und ging umher. Eine schwarz gekleidete Frau trug ein Tablett mit Kanne und Tassen vor sich her. Es duftete nach Kaffee. Sie verschwand hinter einer Tür. 273 stand in silbrigen Ziffern daran. Auf Gummirädern schob sich lautlos ein Wagen heran. Wie ein übergroßer Teewagen sah er aus. Ein alter Mann verteilte die Post. Sein Zwicker hing an einer Paketkordel vor seiner Brust. Vor jeder Tür nahm er ihn vor die Augen, prüfte die Zimmernummer, ergriff ein Päckchen Briefe, fächerte sie auseinander und trug sie hinein.

»Morjen, bitte schön, Morjen.« So arbeitete er sich die Nummern hinauf.

Gerade als 273 sich wieder öffnete und das Geschirr hinausgetragen wurde, bewegte sich auch die Klinke an der Flügeltür. Das Schild geriet ins Schaukeln. Die Tür wurde aufgestoßen. Pause. Erregt, schnatternd, eilig strömten die Zuhörer aus dem Saal. Sigi drängte sich zwischen ihnen durch, rannte auf Karl zu und fasste ihn bei den

Armen. Rote Flecke glühten auf seinen Backen. Seine Augen blitzten.

»Er hat alles gesagt. Er hat alles gesagt!«

»Was denn, was denn?«, drängte Karl.

»Die Wahrheit. Die ganze Wahrheit hat er ausgesagt und beschworen.«

»Dass er Peter und Paul bei euch war?«

»Ja. Dass Vater auf dem Sofa Zeitung gelesen und ein bisschen geschlafen hat; dass Ruth nur einmal zur Mutter hinaufgegangen ist und ihr frisches Wasser gebracht hat; dass er nicht eine einzige Minute aus unserem Hause fort gewesen ist.«

»Toll.«

Der Banknachbar schob sich heran und rief triumphierend: »Na, Junge, was habe ich dir gesagt? Jetzt ist wieder alles drin!«

Er ergriff Sigis Hand: »Meinen Glückwunsch, junger Herr. Meinen Glückwunsch!« Er schob sich weiter.

»Wer ist das?«, fragte Sigi.

Karl zuckte die Schultern.

Die Leute verliefen sich. Sie nützten die Pause dazu, eine Tasse Kaffee zu trinken. Karl warf einen Blick in den Saal. Der hohe Richtertisch lag verlassen. Der Saaldiener ordnete die Stuhlreihen. Frau Waldhoff und Ruth standen mit Vater zusammen.

Herr Ulpius überredete sie zu einer Tasse Kaffee. »Für euch gibt es eine Limonade«, versprach er den Jungen.

Ruth verließ als Letzte den Saal. Hinter ihr schloss der Gerichtsdiener die Tür und wechselte das Schild. Er hängte eine Tafel an die Klinke: »Pause bis 11.00 Uhr.« Ruth blieb ein wenig zurück. Sie sah sich um. Sie schaute auf den, der da den Flur entlangkam. Sie wartete auf ihn. »Ich möchte dir danken, Gerd, ganz herzlich danken«, sagte sie und blickte auf ihre Fußspitzen.

»Ruth?« Sie hob den Blick zu ihm auf, sah ihm in die Augen. Er nestelte in seiner Jackentasche. In seinen groben Händen blitzte die Kupferkette.

»Ruth?«, fragte er wieder. Kein anderes Wort brachte er über die Lippen. Viel wollte er ihr sagen, erklären, um Verständnis bitten. Aber die Mundwinkel zitterten nur ein wenig.

Ruth sah ihn an. Ein Lächeln huschte ihr über das Gesicht, ein gequältes Lächeln. »Lass es gut sein, Gerd«, antwortete sie und drückte ihm die Hände über der Kette zusammen. »Lass es gut sein, und noch einmal herzlichen Dank.« Sie lief den anderen nach, die gerade um die Ecke des langen Flurs bogen.

Um vier Uhr war alles vorbei. Sogar der Staatsanwalt hatte Freispruch wegen erwiesener Unschuld beantragt. Da blieb für die Verteidiger wenig zu tun. Sie hoben den Einzelfall ins Allgemeine und ließen es mit der Warnung bewenden, dass solch ein Schicksal jeden treffen könne, wenn nicht endlich Menschlichkeit und Achtung vor der Person jedes Menschen in allen Köpfen und Herzen Hausrecht habe. Um vier Uhr war alles vorbei: Urteil, Freispruch, Händeschütteln. Auf dem Bahnsteig stand der Zug nach Neuß.

»Werden Sie bald in unsere Stadt zurückkehren?«, fragte Herr Ulpius die Waldhoffs.

Herr Waldhoff wurde nachdenklich. Schließlich schaute er Herrn Ulpius frei ins Gesicht: »Wir werden nicht mehr zurückkommen, Herr Ulpius. Ich bekomme eine Gänsehaut, wenn ich die Häuser, die Tore, die Türme sehe. Ich muss den Blick niederschlagen, wenn ich den Nachbarn begegne. Meine Familie braucht Frieden und Ruhe.« Er legte den Arm um die Schultern seiner Frau. »Was blieb mir in der Stadt? Das Geschäft ist ruiniert, das Haus zerstört, die Unbefangenheit und Heiterkeit unseres Lebens sind dahin. Nein, Herr Ulpius, wir ziehen in eine andere, in eine große Stadt. Wir fangen von vorn an. Ganz von vorn.«

»Und Sigi?«, warf Karl ein.

»Sigi ist jung. Er wird vielleicht mit den Jahren vergessen. Vielleicht wird er vergessen, weil es einen einzigen Jungen in der Stadt gegeben hat, der anders war als alle.«

»Unseren Jakob werde ich bald holen, Karl«, rief Sigi und lehnte sich weit aus dem Fenster.

Der Zug ruckte an. »Ich werde ihm inzwischen das Sprechen beibringen«, versprach Karl.

Die Lokomotive pfiff, Dampf zischte. Irgendetwas schrien die Jungen sich noch zu, doch der Lärm übertönte ihre Worte.

*H*err Ulpius war noch nie so schnell wieder von einem Angel-
ausflug zurückgekehrt. »Ist etwas passiert?«, fragte Karls Mutter
aufgeregt.

»Ja, es ist etwas passiert. Ich muss zur Polizei. Die Apostel haben
einen Toten aus dem Altwasser geholt.«

»Darf ich mit, Vater?«

»Das fehlte noch! Was haben Kinder bei einer Leiche zu suchen?«,
sagte Mutter.

»Diesmal, Mutter«, antwortete Vater, »hat Karl wohl ein Recht
darauf mitzugehen.«

»Das soll einer verstehen«, murmelte Frau Ulpius und schüttelte
den Kopf.

Kommissar Hundt starrte dem Toten ins Gesicht.

»Es muss Jan Maaris gewesen sein«, murmelte er. Dann wandte er
sich ab. Elend sah er aus, niedergeschlagen. Er zündete sich eine
dünne Zigarre an. Das Streichholz in seiner Hand zitterte.

»Ich denke, es war Jan Maaris. Sind doch lauter anständige Leute
in der Stadt. Wer sollte es wohl sonst gemacht haben, wenn nicht
Jan Maaris?« Er wandte sich ab und schritt davon, müde, allein.

*Kein Kapitel mehr, aber es gehört doch dazu:*

Im Jahre der Kristallnacht 1938 wurde Karl Ulpius neunundfünf-
zig Jahre alt. In siebenunddreißig Lehrerjahren hatte er über
sechshundert jungen Menschen das Schicksal der Waldhoff-Fa-
milie erzählt.

Trotzdem ereignete sich diese Nacht des Schreckens und der
Schuld, und Schlimmeres geschah in den folgenden Jahren.

Zu wenige Menschen waren wie Karl Ulpius.

# Willi Fährmann
# Die Bienmann-Saga

Band 1

**Der lange Weg des Lukas B.**
978-3-401-50300-4

Band 2

**Zeit zu hassen, Zeit zu lieben**
978-3-401-50301-1

Band 3

**Das Jahr der Wölfe**
978-3-401-50302-8

Band 4

**Kristina, vergiss nicht …**
978-3-401-50303-5

Jeder Band:
Arena-Taschenbuch
www.willi-faehrmann.de